二十五史藝文經籍志考補萃編

考補萃編

第二十五卷

王承略　劉心明　主編

明書經籍志

〔清〕張　雲　周晶晶
郭怡穎　整理

明史藝文志

〔清〕傅維鱗　撰

〔清〕張廷玉　等修
周晶晶　整理

清華大學
出版社　北京

圖書在版編目（CIP）數據

二十五史藝文經籍志考補萃編．第 25 卷/王承略，劉心明主編．--北京：清華大學出版社，2014

ISBN 978-7-302-34223-6

Ⅰ．①二…　Ⅱ．①王…②劉…　Ⅲ．①中國歷史－古代史－紀傳體 ②《二十五史》－研究　Ⅳ．①K204.1

中國版本圖書館 CIP 數據核字（2013）第 246494 號

責任編輯：馬慶洲
封面設計：曲曉華
責任校對：劉玉霞
責任印製：楊　艷

出版發行：清華大學出版社
　　　　　網　　址：http：//www.tup.com.cn，http：//www.wqbook.com
　　　　　地　　址：北京清華大學學研大廈 A 座　　郵　　編：100084
　　　　　社總機：010-62770175　　　　　郵　　購：010-62786544
　　　　　投稿與讀者服務：010-62776969，c-service@tup.tsinghua.edu.cn
　　　　　質 量 反 饋：010-62772015，zhiliang@tup.tsinghua.edu.cn
印 刷 者：清華大學印刷廠
裝 訂 者：三河市金元印裝有限公司
經　　銷：全國新華書店
開　　本：148mm×210mm　印　張：11.5　　字　數：256 千字
版　　次：2014 年 3 月第 1 版　　　　印　次：2014 年 3 月第 1 次印刷
定　　價：55.00 元

產品編號：043555-01

《二十五史藝文經籍志考補萃編》編纂委員會

目　　録

明書經籍志

明史藝文志

明書經籍志

〔清〕傅維鱗 撰

張 雲 周晶晶 郭怡穎 整理

底本:《畿輔叢書》本《明書》

校本:中華書局 1985 年影印《叢書集成初
編》本

《讀書齋叢書》本《文淵閣書目》

一

史官論曰：夫經籍者，譜微言，繹大義，所以繼絕業於往哲，啓方悟於將來也。其於王事，經緯天地，奠麗陳常，使日月久其照，剛柔得其正，觀文以化成天下，恆必由之。故大訓陳於東序，藏書掌於柱下，籍氏以名其官，執秩以修其令。若《易象》、《春秋》之觀不備，《墳》、《典》、《丘》、《索》之史不良，則王道不亢矣。昔漢懲秦灰，往往開獻書之路，置寫書之官，石渠、天禄之藏，使諸儒較論同異，天子親臨觀，稱制決之，彬彬盛矣。沿及魏、晋，代有右文。劉之《七略》，荀之四部，其最著也。若夫篇第甲乙，筆分斑玉，縹囊螭軸，踵事增華，珉篆牙籤，載書競飾，於藝苑均爲干城，在聖道不無小補。要以六藝之作，興壞在人，盛衰在天。雖石室、金縢之固，一盈一虛，如壑舟焉。惟一代好文之主，手焕天章，如漢祖之躬受《新書》，唐宗之親裁《帝鑑》，而又推情與下，樂道不勌。或賜會稽千卷，或送皇甫一車，使漆書復出於人間，壁簡載傳於伏女，此則上好下甚，觀文以化成天下者也。明興，太祖有《御製文集》，《大誥》誥民，《寶訓》訓子孫，而制作鴻備，遠邁前代。至彙輯《大典》，表章《性理大全》諸書，尤在太宗。宣、世之間，更多裒集。其餘列局編纂，職在史官，賜書獻納，載諸國乘，雖負圖訪範之代，何以加焉？而天府所珍，實稱雄富。爰誌其梗概，以憲來裸。至於家握靈虵，人矜繡虎，著成一氏，藏之名山及列之市肆者，充棟汗牛，莫可紀極，兹不具贅焉。作《經籍志》。

太祖於未即位時，即命有司訪求古今書籍，藏之秘府，以資覽閲。因謂侍臣詹同曰："三皇五帝之書，不盡傳於世，後鮮知

其行事。漢武帝購求遺書，六經始出，唐、虞、三代之治，可得而
見。如此，表章六經，開闡聖學，實有功後世。吾每無事，輒觀
孔子之言，如節用愛人，使民以時，真治國之良規，萬世之師法
也。"洪武元年，命工畫古孝行及身所歷經艱難起家、戰伐之事，
爲圖以示子孫。已，命學士朱昇等修《女誡》。二年，上以祭祀
爲國大事，乃命禮官及儒臣編集郊祀等儀，及歷代帝王祭祀、感
應、祥異可爲鑒戒者，爲書曰《存心錄》。二月，詔修《元史》，以
宋濂等主其事。上諭之曰："自古有天下者，行事見於當時，是
非公於後世。故一代興衰，必有一代之史載之。元主中國，殆
將百年，其初君臣樸厚，政事簡略，與民休息，時號小康。然昧
於先王之道，酣溺故胡之俗，制度疏闕，禮樂無聞。至季世，嗣
君荒淫，權臣跋扈，干戈四起，民命顛危。雖間有賢臣，言不見
用，以至土崩。其間君臣行事，有善有否，賢人君子，或隱或顯。
凡有可述，詳著於篇，毋溢美，毋隱惡，務合公論，以垂鑒戒"。
而元統及至正三十六年事尚闕，乃遣儒士歐陽佑等於北平等處
訪求之。八月，《元史》成。其明年二月，復續修《元史》。已，詔
中書編《祖訓錄》及禮書。三年，《大明集禮》書成。凡朝會燕
享、樂舞升降、儀節制度，名數悉備。計五十卷，頒行之。十一
月，《大明志》書成，以儒士魏俊民等編類天下州郡地理形勢及
降附始末。成，皆授以官。四年，《御史臺憲綱》成，上親爲删
定。七月，上覽《存心錄》，復命贊善劉三吾等編類漢、唐以來災
異之應於臣下者，爲書曰《省躬錄》。五年，禮尚書陶凱言："漢、
唐、宋皆有《會要》，紀載時政，以資稽考。今《起居注》及奏事簿
籍，宜依《會要》編類成書，使議事者有所稽考。"從之。六年春，
命孔克長等取諸經要言，以恆言釋之，使人皆得通其説，而知聖
賢意旨，乃親釋二章以爲準。成，名曰《羣經類要》。已，命陶凱
等采摘漢、唐以來藩王善惡可爲勸戒者，爲書曰《昭鑒錄》，以賜

諸王。四月，命天下州郡繪山川險易圖以進。五月，《祖訓錄》成。上謂侍臣曰："朕爲此書，蓋所以垂訓子孫。朕創業艱難，常憂子孫不知所守，日夜以思，具悉周至，紬繹六年，始克成編。後世守之，則永保天祿。苟作聰明，亂舊章，違祖訓，亡無日矣。"其目十有三，曰：箴戒、持守、嚴祭祀、謹出入、慎國政、禮儀、法律、內令、內官、職制、兵衛、營繕、供用，親爲序。七月，詔宋濂搜萃歷代奸臣之蹟，編爲《辨奸錄》，頒太子、諸王。是年，承旨詹同等請編《大明日歷》。明年五月，成。自上起兵至即位及六年癸丑十二月，凡征伐次第、禮樂沿革、刑政施設、羣臣功過、四夷朝貢之類，莫不具詳，合一百卷。而宋濂又請如唐《貞觀政要》，分類更輯聖政，爲書以傳於天下後世。上從之。於是分四十類，自敬天以至制夷，爲五卷，曰《皇明寶訓》。自是後，凡有出政，史官日錄續之。冬，《孝慈錄》成，詳定喪服之制。已，《御製道德經注》成。上謂儒臣曰："朕觀老子所謂'五色令人目盲，五音令人耳聾'，與'聖人去甚、去奢、去泰'之類，於養生治國之道，大有所助。但諸家之注，各有異見。朕因注之，以發其義。"是年，詔禁四六文詞，因取柳宗元《代柳公綽謝表》及韓愈《賀雨表》，頒爲天下式。八年，學士濂取上所行關於政要者，成書曰《洪武聖政記》。三月，《洪武正韻》成。上以舊韻起於江左，多失正音，命學士樂韶鳳等以中原雅音校正之。其時，有陝州人獻天書，斬之。《御製資世通訓》成書，凡十四章。其一《君道》章，次《臣道》，次《士用》、《民用》、《商用》等十一章，皆申戒之意。詔刊頒之。十二年，《春秋本末》成。先是，上以《春秋》本諸魯史，而列國之事，錯見間出，欲究其終始，難於考索。乃命文學傳藩等分列國而類聚，附以《左氏傳》。首周，次魯，秩然有序。十三年，胡惟庸敗，上命翰林史官纂錄歷代諸侯王以下悖逆不道者，①凡二百十二人，備其行事，以類書之。成，命名《臣戒録》，頒布中外之臣，使知所警。是年，《寰宇通志》成書。以天下道里分方輿，爲目凡八。十六年，上將享太廟，致齋於武英殿。召吳沈等，謂之曰：“朕閲古聖賢書，其垂訓立教，大要有三，曰敬天，曰忠君，曰孝親，三者盡而人道至矣。第其言散在經傳，未易會其要領，爾等以類編輯，庶便省覽。”書成，上大悦，賜名《精誠録》。十七年，《大明清類天文分野》書成。是時，有盱眙人獻天書，命斬之。十八年，編《書傳》，會《尚書》陳氏、蔡氏二傳，并古注疏，彙爲一書。《御製大誥》成，示天下。先是，元綱大紊，上每歎曰：“華風淪没，彝道傾頹。”自即位以來，制禮樂，定法制，改衣冠，别章服，正綱常，明上下，盡復先王之舊，使民曉然知有禮義，莫敢犯分而撓法，乃著爲《大誥》示天下。又曰：“忠君、孝親、治人、修己，盡在此矣。能者養之以福，不能者敗以取禍。頒之臣民，永以爲訓。”十九年，《大誥續編》成，又作《大誥三編》，皆頒布中外。命儒臣修《志戒録》以補《臣戒録》之遺。二十年，《御注洪範》成，語劉三吾曰：“朕觀《洪範》所以敘彝倫，立皇極，保萬民，敘四時，成百穀，原於天道，驗於人事，帝王爲治之道也。朕疏其旨，以便省觀。”三吾頓首曰：“皇上明聖道以福生民，爲萬世開大平，在此注矣。”頒《武臣大誥》，令其子弟誦習之。已，命禮尚書李原名等編《禮儀定式》，明臣僚尊卑之宜。成，頒行天下。二十一年，頒《武士訓戒録》。二十三年，詔刊《韻會定正》，時《洪武正韻》頒行已久，上以其字義、音切有未當者，命官復訂前太常博士孫吾與韻書本、宋黄公紹《古今韻會》本刊行之，曰《定正》。冬，命禮部遣使購天下遺書善本，令

---

①　“悖”字後原爲墨釘，據中華書局一九八五年影印《叢書集成初編》本（以下簡稱初編本）添改。

書坊刻行。二十五年，頒《醒貪要録》於諸司，取文武大小官歲給禄米之數，以米計穀，以穀計田，與其用力多寡，爲書頒布中外，使食禄者知所以恤民。冬，《永鑑録》及《世名總録》成。二十六年，上以諸司職有崇卑，政有大小，無方册以著成法，恐後之蒞官罔知職任政事施設之詳，乃命吏部同翰林儒臣倣《周禮》作書，曰《諸司職掌》。是時，藍玉敗，籍其家，上見其服舍器用多僭踰，乃召翰林稽考前代功臣封爵、人民、邑之多寡，及名號虛實之等，編輯爲書，曰《稽制録》，上親爲之序，以頒示功臣，用遏其侈心云。二十七年，詔訂正蔡氏《書傳》。凡蔡氏《傳》，得者存之，失者正之，又集諸家之説，足其未備，賜名曰《書傳會選》，命士子肄以應舉，而永樂中刊《大全》後，此書竟不行。是年，修《寰宇通志》，時陝西一士人上《仁政書》，上覽之，謂侍臣曰："既曰仁政，則必當愛民，何故所言皆勞民傷財之事，自相悖戾？彼山林儒生，不深究事體，然立意可嘉，不必指瑕，以杜言路，賞而遣之。"有道士以丹書獻，上卻之，侍臣請留觀，上曰："彼所獻者，非存神固氣之道，即煉丹燒藥之説，朕焉用此？朕所用者，聖賢之道，所需者，政治之術，將躋天下生民於仁壽，豈獨一己之長生耶？若受之，則迂怪者争進矣，故卻之，毋爲所惑。"二十八年，頒《祖訓條章》於内外文武諸司，敕曰："自古國家建立法制，皆在始受命之君，以後子孫不過遵守成法，以安天下。蓋創業之君，起自側微，備歷世故艱難，周知人情善惡，恐後世守成之君，生長深宮，未諳世故。① 山林初出之士，自矜己長，至有奸賊之臣，徇權利，作聰明，上不能察而信任之，變更祖法，以敗亂國家，貽害天下，故日夜精思，立法垂後，永爲不刊之

典。如漢高祖刑白馬，[①]誓曰：'非劉氏不王。'以後，諸呂用事，
盡改其法，遂至國家大亂，劉氏幾亡，此可爲深戒者。朕少遭亂
離，賴皇天眷命，翦除羣雄，混一天下。即位以來，勞神焦思，定
制立法，革胡元弊政，至於開導後世，復爲《祖訓》一編，立爲家
法，俾子孫世世守之。爾禮部其以朕《祖訓》頒行天下諸司，使
知朕立法垂後之意，永爲遵守，後世敢有言更改祖法者，即以奸
臣論，無赦已。"命儒臣編《禮制集要》，又編《洪武志》，其書述山
川、都邑、宮闕、壇廟甚詳。三十年，《大明律誥》成，又頒所輯爲
《政要録》。

　建文即位，尤急儒修，購遺書，申舊典，日惟汲汲，不遑逸。
元年正月，命禮侍郎董倫等爲總裁官，修《太祖高皇帝實録》。
方成，而燕兵起，太宗入金川，覽之，以知府葉仲惠纂修處有指
斥燕事爲逆，論死，籍其家。乃復以曹公李景隆等重修《太祖實
録》。九年，復命姚廣孝等三修《太祖實録》，極詆建文君臣之
非。及成，賞予倍厚。元年，分遣廷臣分詣天下軍民之家，有收
藏太祖御製者，皆送官録進，既裒集成書，曰《太祖御製文集》。
已，命解縉等修《古今列女傳》。二年，命儒臣編自古來嘉言善
行有益於太子者，曰《文華寶鑑》。二月，命修補國子監經書板。
十一月，解縉進所纂韻書，賜名《文獻大典》。三年，仁孝皇后
《內訓》成書，凡七十八册。又著《夢感物說》，又著《希有大功德
經》八十七卷。四年，遣使四出購求遺書，諭之曰："書籍不可較
價直，惟其所欲，與之。"庶所得者多。五年，《永樂大典》成。先
是，令解縉等於天下古今事物散在諸書，備輯。自書契以來，經
史子集，百家之書，備輯爲一書。上覽之，多有未備者，乃復命
姚廣孝等纂修及繕寫者殆三千人，歷四載而成，計二萬二千九

---

　①　"祖"字原無，據《四庫》本《禮部志稿》卷一所引本條補。

百卷，一萬一千一百本。十二年，上謂侍臣曰：“五經四書皆聖賢精義要道，傳注之外，諸儒議論有發明餘蘊者，爾等采其切當之言，增附於下。其周、程、張、朱諸君子性理之言，如《太極》、《通書》、《西銘》、《正蒙》之數，皆六經之羽翼，然各自爲書，未有統會，爾等亦聚類成編。二書務極精備，庶垂後世。”乃命胡廣等開館於東華門外，光禄給饌。明年書成，命名《五經四書大全》。十四年，編輯《歷代名臣奏議書》。十五年，仁宗在東宮，卜筮專用揲蓍，而斷以《周易》。因命楊士奇纂《朱氏本義要旨》，爲一編。既進，因名《周易直旨》。既而士奇又曰：“《周易》雖爲卜筮書，而文王、周、孔義象十翼之辭，凡修、齊、治、平，爲君、爲臣之道悉具，請編輯以進。”踰年上之，賜名曰《周易大義》。是時，徐好古進《尚書直旨》，金幼孜進《春秋直旨》，仁宗皆命留覽。十六年，纂修《天下郡縣志》。十七年，爲《善陰騭書》成，書列百五十六人事。十八年，《孝順事實》書成，書列二百七人。皆頒行天下。帝自製《務本之訓》以予皇孫。已，命羣臣輯《神仙傳》。十九年，楊榮撰《皇都大一統賦》以進。

洪熙元年，敕修《太宗實録注》、《天元玉歷賦》。

宣宗即位，時御製如《憂民吟》、《酒諭》、《猗蘭》、《南有嘉魚詩》、《憫農詩》、《捕蝗詩》、《招隱詩》、《招隱歌》之類，不可勝紀。匪念切民依，則君臣相悦，文章之治，獨此稱優。元年閏七月，詔修《仁宗實録》，以英公張輔等董其事，諭之曰：“國史貴詳，卿等宜盡心。”五年，成《太宗實録》一百三十卷，《寶訓》十五卷，《仁宗實録》十卷，《寶訓》六卷，《御製帝訓》，自《君德》至《藥餌》，共二十五篇。時有獻歷代紀年圖者，上覽既，顧侍臣曰：“唐之後不五十年，天下五易主，生民之禍極矣。周世宗英武，觀其進取之略，制治之心，足以平天下，而亦享年不永，何也？”侍臣對曰：“帝王之興，自有天命，非人謀所及。”上曰：“國家創垂，貴有根本，三代以下，若漢高帝掃除秦苛，以濟蒼生，唐太宗革隋弊政，以致太平，其規模皆宏遠，所以傳之子孫皆長久。若後周之主，稱兵爲逆，劫掠京城，曾無匡濟之功，室家先覆，而世宗以養子繼之，欲其宗祀長久，得乎？宋太祖陳橋之變，一號令之間，秋毫無犯，拯生民於淪溺，革叔季之兵禍，子孫享國與漢、唐同久者，蓋有仁厚爲之根本，豈偶然哉？”侍臣皆頓首服。七年，御製《官箴》，自《都督》至《儒學》，箴凡三十五篇。已，上又以載籍所記前代外戚及臣下善惡，足爲鑒戒，乃采其事爲《外戚事鑒》、《歷代臣鑒》，頒賜羣臣。

正統三年，《宣宗章皇帝實録》成。四年，刊布《憲綱》於中外。十三年，《五倫書》成。先是，宣宗嘗親采經傳百家嘉言善行之有關於五倫者，類分爲六十二卷，命曰《五倫書》。至是，上追承先志，乃成之。副都御史吳訥進《性理羣書補注》，納之。

景泰中，敕儒臣纂修《宋元綱目》，復命禮部纂修《天下地理志》。吏部侍郎李賢取《君鑒》中二十二君行事最切要者，集爲《鑒古録》上之，上覽之，問内侍王誠曰：“此奏欲何爲？”對曰：“欲陛下學此數君耳。”上頷之。

天順二年，敕翰林官修《大明一統志》。先是，永樂中修《天下郡縣志》未成，景泰中修《寰宇通志》成而未刻。至上復辟，乃合二書而成之，凡九十卷。時漳州布衣陳真晟詣闕上《程朱正學纂要》，不報。

成化初，進《英宗睿皇帝實録》，附郕戾王。九年，命儒臣校訂《朱熹通鑑綱目》，梓之以傳。已，復命大學士彭時等復纂《宋元綱目》。侍讀尹直請萃聖朝儀文、法制爲合編，從之。十五年，禮侍郎周洪謨進所纂《疑辨録》，言四書五經，雖經朱熹注釋，亦有仍漢、唐諸儒之誤者，乞再考訂。上曰：“昔太宗時，已有《大全》，諸士誦習已久，不必更。”十八年，御製《文華大訓》

成，其書綱凡四，曰進學，曰養德，曰厚倫，曰明治，目凡二十四，以授皇太子。已，命太監杜福友於江南民段銓取《截江網》古書一部，及盧岐僧院取《刻絲觀音羅漢像》，尚書王恕諫，不聽。二十年，無錫處士陳公懋刪改朱子《四書集注》來進，上以狂妄罪之。二十三年，掌國子監禮部侍郎邱濬進所著《大學衍義補》，上覽之，大喜，曰：“是書考據精詳，論述該博，有補政治，朕甚嘉之。”賜金幣，進尚書，掌詹事府。

弘治改元，敕修《憲宗純皇帝實錄》，四年，成。十年，命修《大明會典》，上以累朝典制，散見疊出，未會於一，乃敕大學士徐溥等修之，以本朝官職制度爲綱，事物名數儀文等級爲目類，以頒降羣書，附以歷年事例，使官各頒其屬，而事皆歸於職，以備一代之制。十六年，命翰林官修《歷代通鑑纂要》。前兵部郎中婁性上所編《皇明政要》，留覽。

正德元年，敕大學士劉健等修《孝宗敬皇帝實錄》，四年，成。其時，劉瑾專政，以弘治中纂修《會典》，壞祖宗制，書雜以新例，悉毀之，貶修者官有差。

嘉靖改元，命修《武宗毅皇帝實錄》，乃撿正德間留中不報疏八百六十餘本付史館，明年，成。四年，御注《周書·伊訓篇》、《無逸篇》，并太祖所注《洪範篇》，令儒臣復通加詳釋，曰《書經三要》。大學士費宏請修《獻皇帝實錄》，遂取長史張景明、日錄趙銘等各存嘉言善行錄，及部存謝恩存心諸疏，宣付史館。及成，宏等推遜不受賞，以爲皆興邸太監張佐等日紀之功，乃各予世職，酬其勞。五年，時福建建陽書坊刊刻多訛，巡按御史楊瑞等請差官校勘，上命侍讀江佃行往校，已，編修孫承恩編《尚書》善惡事，爲詩上之，賜名《鑒古韻語》。十月，頒《獻皇帝恩紀詩集》，乃受命分封之國，感孝宗錫予之恩而紀之，凡七卷。又《含春堂稿》則未之國之詩，凡五卷。六年，命重刊《大學衍義》，上親製序文。工部尚書張璁上《大禮要略》。先是，上諭禮部曰：“獻皇帝尊號已定，世廟已成，所議典禮不可無全書。”特命儒臣重加編纂，以成一定之典。璁遂自纂《大禮要略》二卷以進，上命付史館彙述。初，上命張璁、桂蕚等纂修《大禮全書》，既成，名曰《明倫大典》。十月，重修《大明會典》。先是，《會典》廢，上謂侍臣曰：“《會典》或有錯誤，朕覽不能無疑，恐不復，則後無所考，宜會官修復，以成一代之制。”七年，命編纂御書文禮，如《貞觀政要》、《洪武聖政記例》，曰《嘉靖政要》，以張璁領其事。上允錦衣衛千户沈麟請，校勘歷代史書，頒布天下。六月，《明倫大典》成，刊行天下。南史部侍郎湛若水進所撰《聖學格物通》一百卷，上嘉賞之，後又進《二禮經傳測》。學士許誥上所撰《通鑑綱目前編》、《圖書管見》、《太極圖論》，詔留覽。八年，重校《大明集禮》，刊行之。同安縣儒士李如玉纂集《周禮會注》十五卷，令其子詣闕進，上命有司以禮獎勸，給官帶，復其家。太僕寺丞陳雲章進所著《書傳》、《大學疑》、《中庸疑》、《夜思錄》，上以其謬言淆亂經傳斥之。初，太僕寺丞何淵進《太廟世室説》，希進用，及《大典》削而不錄，淵乃集其説爲五卷上之，上怒其瀆，降永州衛經歷。十一年，重刊二十一史，前國子監原無《金史》、《遼史》，上命購永善本，刊行之。十三年，太康儒士安都進所著《十九史節略》四百七十卷，上以狂妄，命毀之。十五年，命集《列聖寶訓》。二十年，都督陳寅進所編《皇考聖母御製事蹟》，上喜，賚之。命承天府督工尚書顧璘聘文學纂修《興都志》。山西遼州同知李文察進《樂書》，①報留覽。二十三年，上命刊頒《獻皇帝躬集醫方選要》。四十年，詔重刊《衛生方》。四十一年，命重錄《永樂大典》。四十五年，史館進《承天大誌》，上以先爲太常

---

① “西”，原誤作“四”，據中華書局 1956 年排印本《明會要》卷二十二《樂下》改。

少卿邱岳所請，至是書成，進禮部右侍郎，餘賞賚有差。

隆慶元年，敕修《世宗肅皇帝實錄》及《寶訓纂集》、《御製文集》、《詩集》。給事中王之垣進《承天基命紀錄事實》三十卷，上留覽。三年，東莞陳建私輯《皇明資治通紀》，給事中李貴參其謬誤，上命焚燬之，俾史館勿採，命頒示藩條例於諸王府。重修吏部員外郎李默所撰《大明輿地圖》。總河尚書翁大立上《五患十二圖書》，上留覽。

萬曆元年，詔修《穆宗莊皇帝實錄》，明年，成。大學士張居正進《帝鑑圖說》。四年，重修《大明會典》。六年，《宗藩事例》、《宗藩要例》書成，頒示各王府。十六年，命經筵勿講《貞觀政要》，上曰："太宗多慚德，此書何足垂訓？"時國子司業王祖嫡請復建文年號，改《正景皇帝實錄》，上允行。二十二年，給事中楊東明進《饑民圖》。四十五年，纂修《玉牒》成。

熹宗即位，詔修神宗、光宗《實錄》，頒行欽定考格。二年十月，重修《玉牒》成。四年，詔儒臣校訂《大學衍義補》以進。五年，命各省搜購誌傳、奏疏、文集等書，附進表，朝覲官齎進，以備省採。命纂《宗藩限祿》，書成。六年，進《三朝要典》副稿，神宗、光宗《實錄》副本。六月，進《三朝要典》書，詳列"挺擊"、"移宮"、"紅丸"緣由及章疏甚悉，命藏皇史宬，刊布天下。命毀廣西副使費學佺所纂《野史紀略》，爲與《要典》相反。七年，神、光二宗《實錄》成。

崇禎元年，詔修《熹宗悊皇帝實錄》。二年，頒《欽定逆案書》於天下。三年，命增修《大明會典》。四年，命重刊《天下賦役全書》，命儒臣修六字格言。九年，命大學士徐光啓同西儒修正曆法，成，名《崇禎曆書》。

殿閣皇史宬內通籍庫藏書

制書一百六十七部，易類一百九十部，書類六百五十七部，詩經四十二部，春秋類八十部，三禮類五十七部，禮書五十八部，樂書九部，諸經總錄四十部，四書類九十一部，性理類一百十七部，性理附十六部，經濟類九十三部，史類一百七部，史一百二十九部，史雜一百三十六部，子類六十部，子雜二百三十八部，文集六百五十二部，詩詞類四百八十八部，類書一百八十部，韻書八十五部，姓氏十四部，法帖二百零九部，畫譜六十八部，政書五十部，刑書二十九部，兵書八十二部，算法二十七部，陰陽書二百九十六部，醫書一百八十九部，農圃十四部，釋道書不具載。舊籍原無卷數，今仍因之。

制書

皇明祖訓

祖訓錄

祖訓條章

大明寶訓

皇明寶訓

大明宗譜

大明譜系

大明帝紀

玉牒

御製文集

御製文稿

御製詩文

御製詩集

御製佗詩

御製豐年詩

御製詩扁①

御製大誥

御製戒酒文

御製祝文

御製戊辰集

御製顛人傳

御製書注

御翰

御製尚書注

御製道德經注

御製洪範注

玉音

御製武臣大誥

御製詞

御製資世通訓

御製徐武寧神道碑

賜諸番詔敕

賜諸番書

御製追贈誥文

敕文武羣臣書

御寶書

御製大訓條目

文華寶鑑

御製冊文

①　“扁”清嘉慶初顧修刻《讀畫齋叢書》本《文淵閣書目》（以下簡稱《文淵閣書目》）
卷一作“木圖”，

各處衛所官誥敕

御書文簿

聖學心法

御製申明五常敕①

誥李善長文

御製長孫訓

御製務本之訓

洪武聖政記

孝慈録

孝慈高皇后傳

儲君昭鑑録

仁孝皇后夢感經

爲善陰騭書

文華進講録

仁孝皇后勸善書

孝順事實

仁孝皇后内訓

歷代臣鑑

新編類書

欽定五經四書性理大全

勸世嘉言

新編令要②

新編禮書

新編歷代故事

---

① “申”，原誤作“由”，據《文淵閣書目》卷一改。

② “令”，《文淵閣書目》卷一作“會”。

新編琴書集成

新編相鑑

歷代君臣事實

仁廟御書阿彌陀經[①]

勸善文

省躬録

忠義録

君臣昭鑑録

雜録

存心録

精誠録

臣戒録

翊運録

鐵榜文

貞烈事實

昭鑑録簡略

諸王事要

稽制録

武臣鑑戒録

古今烈女傳

外戚事鑑

鹵簿圖

歷代公主録

功臣鐵券文[②]

---

① “陀”字原無，據《文淵閣書目》卷一補。

② “文”，《文淵閣書目》卷一無。

直注古今列女傳

外家積慶圖

永樂大典

納徵傳制遣官圖

大明禮制

大明集禮

洪武禮制

禮儀定式

皇朝禮制

國朝禮制

禮制集要

稽古定制

冕服圖

朝服圖

命婦朝賀禮儀

喪禮儀注

冠服圖

朝儀

親王婚禮儀注

喪禮祝文

公主婚禮儀注

太常祭禮

侑食樂歌九奏

陳設樂器儀注

祭祀禮儀

寶匣等式圖①

---

① “圖”，《文淵閣書目》卷一作“樣”。

祭祀儀注

王府宗支封號録

清理佛教榜文

諸司職掌

申明禮制榜文

行移減煩體式

禮制榜文

黄長史不臣榜文

糧長規戒録

彰善榜文

黄教諭不才榜文

彰善癉惡録

大明律

大祀歌

志戒録

宗屬親疏服圖

大明令

律例條式

逆臣録

洪武七政躔度書

歷代姦臣備傳

紀非録

京城四至水馬驛程録

天下都司衛所紀

集犯録

關隘丈尺軍數録

昭示姦黨録

癉惡續録

齊王紀非録

技藝鑑戒録

醒貪録

國子監沿革録①

天下郡邑志②

華彝譯語③

洪武寶訓

洪熙寶訓

寰宇通衢御序

太和山誌

洪武實録

洪熙實録

永樂寶訓

宣德寶訓

天順實録

弘治實録

永樂實録

宣德實録

成化實録

正德實録

大誥條例

大明會典

仁廟御製詩集

---

① 　該條目，《文淵閣書目》卷一作“國子監建置沿革等項文籍”。
② 　“志”，《文淵閣書目》卷一無。
③ 　“彝”，當作“夷”，蓋因避清忌而改，《文淵閣書目》卷一正作“夷”。下同。

百令條目

歷朝詔制

歷朝御製文集

忠靖冠服圖

恩集會吾堂集

敬一箴注

宸翰録

春遊詠和集

明倫大典

五箴注

嘉靖實録

隆慶實録

萬歷實録

泰昌實録

天啓實録

易

古周易

周易子夏傳

周易王弼注纂圖

焦氏易林

周易王弼注

周易鄭康成注

京氏易傳

周易王弼注鈔

周易長孫無忌要義

聞氏易傳

衛元嵩　元苞

周易孔穎達注疏

李鼎祚　易傳集解

周易陸氏釋文

溫公易説

東萊周易古今經象①

周易安定口義

東坡易解

蘇氏易傳

程氏易説②

程朱易説

周易撮要

橫渠易説

程氏易傳

楊氏易傳

周易義海

漢上朱震易圖

東萊繫詞精義

南軒繫辭説

都絜　易變體義

蔡淵　易象意言

蔡節齋易解

南軒易説

---

① "今",《文淵閣書目》卷二無,當據删。
② "説",《文淵閣書目》卷二作"傳"。

蔡氏筮書

蔡淵　易傳訓解

鄭氏易翼

朱子易本義①

朱子易學啓蒙

林栗　易集解

本義啓蒙翼傳

易沈氏小傳

朱文公易解②

易經朱子遺説

易趙以夫通

朱子啓蒙

趙汝楳　易序叢書③

易趙復齋説

易郭氏解

周易趙汝楳輯聞

趙汝楳　易雅④

周易鄭剛中窺餘

楊忱中　易原

易陳了翁説

周易丁易東象義

楊慈湖　易成

---

①　"子"字下原脱"易"字，據商務印書館一九五九年排印本《明史藝文志·補編·附編》(以下簡稱《明史藝文志·補編·附編》)添改。

②　"解"，《文淵閣書目》卷二作"説"。

③　"叢"，原誤作"業"，據《文淵閣書目》卷二、中華書局一九六五年影印本《四庫全書總目》(以下簡稱《四庫全書總目》)卷七改。

④　"雅"，原誤作"難"，據《文淵閣書目》卷二、《四庫全書總目》卷三改。

李謙齋詳解

何基　易經發揮

易張行成述衍

王愷　易心

何基　係辭發揮

易張行成通變

易會通

麻衣正易心法

大易曾穜雜言

易乾鑿度

讀易老人詳説

大易曾穜粹言

易陳普解

丁易東　大衍索隱

周易項安世玩辭

王日休　準係易解

朱元昇　三易備遺

劉氏易數鉤隱

易陳宏童子問

李簡　學易記

易史徵口訣義

周子方　學易記①

易胡震衍義

易袚　山齋總義②

─────────

　　①　“周子方”，《文淵閣書目》卷二、《四庫》本《千頃堂書目》（以下簡稱《千頃堂書目》）卷一俱作“周方”，可從。

　　②　“袚”，原誤作“被”，據《文淵閣書目》卷二、《四庫全書總目》卷三改，另，“總”，《文淵閣書目》作“口”。

鄭滁孫　易法象通贊

無庵警心易贊

陳應潤　易爻變易蘊①

大易宋諸儒集義

鄭滁孫　中天述考

周易宋諸儒集義

胡方平　學易啓蒙

吳沆　大易璇璣

胡炳文　易本義②

易張清子傳

周易李恕音訓

保八　易源奧義③

易吳澂纂言④

陳訥　河圖易象本義

周易齊履謙本說

周易蓬軒錢氏圖說

周易紇石烈集傳

周易保八原旨

張理　易象圖說

易林至禆

鄧錡　大易圖說⑤

---

① “爻”，原誤作“友”，據《文淵閣書目》卷二改。

② “義”後，《文淵閣書目》卷二有“通”字。按，胡氏有《周易本義通釋》一書，當指此書。

③ “源”，《文淵閣書目》卷二、《四庫全書總目》卷四作“原”。

④ “澂”，原誤作“徵”，據《文淵閣書目》卷二改。

⑤ “錡”，原誤作“綺”，據《文淵閣書目》卷二、《四庫》本《經義考》（以下簡稱《經義考》）卷四十八改。

易雲潤田疇解①

易疑擬題

周易俞石澗集説

周易孤汾遁叟證類②

張應珍　義山易解

方實孫　淙山讀易記

周易許復衍義

周易梁寅參議

鈔易學通變③

周易本義附録

易家人卦衍義④

鈔大易忘筌

易吳澂纂言外翼⑤

鈔郭東山易書

鈔清全齋讀易編

陸氏筮法

書

古三墳書⑥

尚書

---

①　“潤”，《文淵閣書目》卷二作“閏”。

②　“孤”，《文淵閣書目》卷二作“姑”。

③　“通變”，《文淵閣書目》卷二作“變通”，《四庫全書總目》卷四有元曾貫撰《易學變通》一書，當指此。

④　“卦”，原誤作“封”，據《文淵閣書目》卷二改。

⑤　“澂”，原誤作“徵”，據《文淵閣書目》卷二改。

⑥　“書”，《文淵閣書目》卷二無。

古文尚書

尚書孔穎達注疏

書吳才老埤傳①

尚書孔傳

尚書孔穎達正義

尚書解

尚書注疏

尚書音義

書晦庵説

書傳纂疏

尚書要義

書東萊説

尚書纂傳②

尚書東坡傳

書傳纂注

尚書陳太猷集傳

書錢融堂傳

潔齋書鈔

尚書陳大猷或問

尚書薛季宣古文訓

尚書胡士行詳解

尚書吳文正公纂言

尚書王天與纂傳

書經李公凱句解

---

① “才”、“埤”，原誤作“方”、“神”，據《文淵閣書目》卷二改。
② “纂”，《文淵閣書目》卷二作“蔡”，於義爲勝。

尚書許謙叢説

尚書釋題

尚書黄存齋通考

尚書金履祥表注①

書傳會選

尚書趙杞主意

尚書方時發索至

書義新格

尚書趙杞辨疑

張國賓　書義元會

洪範直解

尚書陳氏詳解

程大昌　禹貢論

傅寅　禹貢説

書經徐蘭體要

毛晃　禹貢指南

書鄭敷文説

蔡九峯　洪範皇極内篇

倪士毅　書義要訣

胡一中　定正洪範疏②

王耕野　讀書管見

馮去非　洪範補傳

趙善湘　洪範疏③

汲冢周書

---

① “注”字原脱，據《文淵閣書目》卷二補。

② “疏”，《文淵閣書目》卷二作“集説”。

③ “疏”，《文淵閣書目》卷二、《四庫全書總目》卷十一作“統一”。

田澤　洪範洛書辨①
胡先生洪範口義②
楊慈湖　五誥解
陸氏洪範本義

詩

詩經
詩鄭氏箋
詩經正義
詩傳
詩經注疏
詩經要義
陸氏詩經釋文
陸璣　詩鳥獸草木蟲魚疏
陸氏詩經音義
唐城伯演傳③
詩放齋説
詩歐陽氏本義
詩李黄集解
詩逸齋補傳
李簡　詩學備忘
詩鮮于氏傳
吕氏讀詩記

---

① "澤"，原誤作"峰"，據《文淵閣書目》卷二、《經義考》卷九十六改。
② "口"字原脱，據《文淵閣書目》卷二補。
③ 《文淵閣書目》卷二此條作"唐成伯瑜詩經指説"。

詩王氏總聞

瞿思忠　詩傳旁通①

詩楊慈湖解

詩朱子集傳

林泉生　詩義矜式

詩錢文子傳

詩傳通釋

嚴粲　詩輯

詩胡一桂纂疏

詩傳遺説

嚴氏詩解

詩許謙名物鈔

輔氏童子問

詩林岊講義

曾堅　詩疑大鳴録②

詩李恕音訓

詩趙德辨疑

朱倬　詩經疑問

彭氏奇　詩經主意③

朱善　詩經解頤

詩義斷法

段氏詩義指南

朱公遷疏義

---

① "旁"，原誤作"傍"，據《文淵閣書目》卷二、《四庫全書總目》卷十六改。

② "録"字原脱，據《文淵閣書目》卷二、《經義考》卷一百十二補。

③ "氏"，《文淵閣書目》卷二作"士"。

詩經題斷

陸氏序詩

詩圖説

春秋

春秋左傳注疏

春伙左傳釋文

春秋左傳正義

春秋左傳類編

春秋左傳

春秋左傳羅氏節

春秋左傳續説

國語

春秋左傳廣誨蒙①

春秋左傳法語②

春秋左傳章指

孔氏春秋左傳本末③

春秋董氏繁露

春秋陸淳集傳微旨④

春秋公羊傳注疏

春秋公羊傳解語

春秋公羊傳音義

---

① "傳"，《文淵閣書目》卷二作"氏"。

② "語"，《文淵閣書目》卷二作"説"。

③ "氏"，《文淵閣書目》卷二作"克"。

④ "旨"，原誤作"音"，據《文淵閣書目》卷二改。

春秋穀梁傳釋文

春秋公羊傳

春秋穀梁傳注疏

春秋胡氏傳

春秋穀梁傳

春秋陸德明音義

春秋劉敞傳①

春秋啖趙纂例

春秋吕東萊集傳微旨②

春秋陸淳三書

春秋張大亨五禮例宗③

春秋孫明復發微

春秋劉敞意林

春秋圖説

春秋吕東萊博議

春秋劉敞權衡④

春秋摘奇

春秋蘇潁濱集解⑤

春秋東萊集解⑥

春秋透天關

春秋孫覺經解

---

① “敞”，原誤作“敬”，下“春秋劉敞意林”條同，據《文淵閣書目》卷二改。
② “旨”原誤作“音”，據《文淵閣書目》卷二改。
③ “禮”、“宗”，原誤作“體”、“象”，據《文淵閣書目》卷二、《四庫全書總目》卷二十七改。
④ “劉敞權衡”，原誤作“劉敬旌衡”，據《文淵閣書目》卷二改。
⑤ “解”字原脱，據《文淵閣書目》卷二補。
⑥ “東”，《文淵閣書目》卷一前有一“吕”字。

春秋葉石林傳

春秋通天竅

春秋王當列國傳①

春秋陳傅良後傳

沈文伯　春秋比事

春秋戴少望講義

春秋呂大圭五論②

春秋家鉉翁集傳綱領③

春秋呂大圭或問

春秋高允憲書法大旨

春秋胡氏年表

春秋吳文正公纂言

春秋胡氏通例

春秋李祺王伯世紀

春秋洪皓紀詠

敬鉉　春秋備忘續遺説

春秋高閌集注④

敬鉉　春秋傳例説略

春秋家鉉翁詳説⑤

春秋黃仲炎通説

春秋程伯剛分記

春秋趙鵬飛經筌

春秋程端學辨義⑥

---

①　"國"，原誤作"圖"，據《文淵閣書目》卷二、《四庫全書總目》卷五七改。

②　"五"，原誤作"王"，據《文淵閣書目》卷二、《四庫全書總目》卷二七改。

③　"翁"，原誤作"辨"，據《文淵閣書目》卷二改。

④　"閌"，原誤作"閎"，據《文淵閣書目》卷二、《四庫全書總目》卷二七改。

⑤　"翁"，原誤作"辨"，據《文淵閣書目》卷二改。

⑥　"義"，《文淵閣書目》卷二作"疑"，於義為勝。

春秋程端學或問

春秋程端學本義

春秋陳則通提綱

春秋李俞集義

春秋崔氏本例

春秋張洽注

春秋杜諤會義

陳深讀春秋編

春秋金鎖匙

春秋王哲皇綱論

春秋徐晉卿對類賦

春秋齊履謙統紀

春秋趙子常屬辭

春秋公羊傳釋文

敬鉉　春秋備忘

春秋王元杰讞義①

春秋俞皋釋義

春秋石光霽書法②

春秋李廉會通

陸氏春秋名臣錄

春秋李衡集說

春秋汪氏纂疏

三禮

周禮正文

---

① “元”原誤作“亢”，據《文淵閣書目》卷二、《四庫全書總目》卷二八改。
② “光”，原誤作“元”，據《文淵閣書目》卷二、《經義考》卷一百九十九改。

周禮鄭氏注

周禮句解

周禮黄度説

周禮賈公彦注疏

周禮陸德明釋文

周禮賈公彦正義

周禮唐諸儒要義

周禮王荆公解義

周禮王昭禹注解①

周禮鄭宗顔講義

周禮陳祥道纂圖

周禮王裕之訂義②

周禮夏休井田譜

周禮王與之訂義

周禮毛應龍集傳

周禮陳傅良説

俞言　周禮圖

儀禮經傳通解

周禮易袚總義

周禮復古編

朱文公儀禮圖

周禮林希逸考工記③

儀禮賈公彦注疏

儀禮陸德明音義

---

① "注",《文淵閣書目》卷二作"詳"。
② "裕",《文淵閣書目》卷二作"與"。
③ "記",《文淵閣書目》卷二作"説"。

儀禮唐諸儒要義

朱文公儀禮圖注

儀禮李如圭集注

少儀呂東萊外傳

儀禮敖繼公集說

儀禮吳草廬逸經

儀禮鄭氏注

禮記呂氏傳

陸氏經禮存羊

禮記鄭氏注

禮記正文

大戴禮記

禮記正義

禮記釋文

禮記集說

禮記注疏

禮記音義

禮記外傳

禮記圖說

夏小正經傳考

禮記詳節

禮記集說

夏小正戴氏傳

禮記要義

禮記集義

禮記纂言

禮經會元①

二經雅言

三禮圖

禮記詳解

禮經集傳

禮記纂圖

月令考

禮書

唐郊祭錄

宋元豐郊廟奉祀禮文

唐開元禮

宋太常議定九章冕服錄②

宋政和冠婚喪祭書

宋陳祥道　禮書

文公家禮

宋政和祭禮新儀

宋太常因革禮

南宋朝儀

宋通祀儀記③

蘇洵　修定諸家謚法

宋謚號錄

---

①　“經”，初編本作“記”。
②　“錄”，《文淵閣書目》卷三無。
③　“記”，《文淵閣書目》卷三作“禮”。

宋中興禮書

宋侯國通祀儀式

温公書儀

宋五禮新儀撮要①

宋通祀輯略

中興禮書續編

宋春秋釋奠儀②

宋士庶通禮

文公家禮附録

宋陸氏禮象

咸淳五輅

釋奠陳設須知録③

高閌　厚終禮④

鄉飲酒儀

黃勉齋　喪服圖

楊慈湖　婚禮家記

楊慈湖　冠祭家禮⑤

元集禮⑥

楊慈湖　喪禮家記

吳伯豐　祭禮從宜

元禮書

---

①　“要”字原脱，據《文淵閣書目》卷三補。

②　“奠”，原誤作“略”，據《文淵閣書目》卷三改。

③　“録”，《文淵閣書目》卷三無。

④　“閌”、“厚”，原誤作“閎”、“原”，據《文淵閣書目》卷三、《四庫》本《遂初堂書目》（以下簡稱《遂初堂書目》）改。

⑤　“禮”，《文淵閣書目》卷三作“記”。

⑥　“禮”，原誤作“圖”，據《文淵閣書目》卷三改。

歷代崇儒廟學興禮本末①

龔端禮　五服書

元皇朝儀注

元續集禮

龔端禮　五服圖解②

元朝儀備錄

元釋奠義圖

元釋奠格例

元鄉飲酒禮

元釋奠通載

元祭葬會要③

孫偉　時享儀範④

元通祀禮編

趙氏禮經葬制

元太常集禮藁

元通祀纂要

古今家祭禮

元郊祀禮

元禮器説

元昭儉錄

四家禮

元釋奠圖

元祭器圖

---

①　"興"，《文淵閣書目》卷三作"典"，於義為勝。

②　"解"字原脱，據《文淵閣書目》卷三補。

③　"祭葬"，《文淵閣書目》卷三作"葬祭"，於義為勝。

④　"享"，原誤作"亨"，據《文淵閣書目》卷三改。

五服解義

三家禮

樂書

宋皇祐新樂圖記

趙鳳儀　釋奠樂器圖

鄭起潛　聲律關鍵

元韶舞九成樂補①

蔡氏律呂本原

劉氏律呂成書②

陳暘　樂書

蔡氏律呂新書

元中和樂經

---

①　"韶舞",原誤作"韶舜",據《文淵閣書目》卷三、《四庫全書總目》卷三十八改。

②　"氏",《文淵閣書目》卷三作"瑾"。

二

諸經總録

十一經匯①
陸德明　經典釋文
九經要覽
六經圖
唐玄度　九經字樣②
九經直音
張參　五經文字
賈昌朝　羣經音辨
九經總例
劉敞　七經小傳
魏了翁　九經要義
六經圖辨
毛居正　六經正誤
伊川六經說
五經義式
姜得平　詩書遺意③
二蘇五經傳④

---

① “匯”，《文淵閣書目》卷三無。
② “樣”，原誤作“義”，據《文淵閣書目》卷三、《四庫全書總目》卷四十一改。
③ “得”，《文淵閣書目》卷二作“德”。
④ “傳”字原脫，據《文淵閣書目》卷三補。

經義標準

王應麟　六經玄文編

趙孟至　九經釋音

歐陽　長孺九經治要

端本堂經訓要義

九經三傳沿革例

宋儒邢昺等　孝經注疏

陳漢室　詩書輯要①

莆陽二鄭六經圖辨②

陳維之　五經辨疑③

成齋孝經說

爾雅郭璞注

袁俊翁　經史疑節

隋曹憲　博雅

鄭樵　爾雅注

許魯齋　孝經直說

江直方　孝經外傳

貫酸齋　孝經直解

晏璧　孝經刊誤說

宋儒邢昺等　爾雅疏

陶凱　九經類要

張達善　四書歸極

溫公孝經指揮

孝經論孟音義

---

① “室”,《文淵閣書目》卷三作“賓”。
② “莆”,《文淵閣書目》卷三作“蒲”。
③ “維”,原誤作“淮”,據《文淵閣書目》卷三、《經義考》卷二百四十七改。

陸佃　爾雅新義

陸佃　埤雅

姜蒙齋　孝經説

洪焱祖　爾雅翼古孝經①

程端蒙　大爾雅

危素　爾雅略義②

四書

四書正文

四書集編

四書集注

四書集略

四書附録

四書或問

四書纂疏

四書輯語

四書語類

四書發明

四書集成

四書輯釋

四書事文引證

四書集義精要

四書朱張注

---

① “古考經”三字，《文淵閣書目》卷三無，當據删。

② “素”，原誤作“索”，據《文淵閣書目》卷三、《千頃堂書目》卷三改。

四書汪注類編①

四書集注箋義

四書朱真注

四書章圖

四書纂箋

四書管窺

四書通注

四書標題

四書管見

四書輯義

四書叢説

四書類辨

四書提要

四書疑節

四書音義

四書問辨

四書考文②

四書待問

四書音釋

四書經疑貫通

四書經疑會同

四書主意

四書經疑問斷

大學通旨舉要

---

① “注”，《文淵閣書目》卷四作“氏”，於義爲勝。

② “文”，《文淵閣書目》卷四作“證”。

四書通

大學正文

大學衍義

大學要略

論語纂圖

大學總義

大學發微

論語注疏

論語集説

大學要略遺書

論語張宣公解

論語何晏解

論語文公類語

論語集注考證

論語東坡解

論語要義

論語本旨

四書口義

論語精義

論語音義

論語通釋

四書意源

論語通義

論語問答

論語蔡覺軒集疏

論語纂圖句解

論語旁通①

論語潁濱拾遺

論語陳用之解

論語章解圖説

論語慈湖解

中庸輯略

論語口義新書

孟子趙氏注

中庸或問

中庸發明

中庸提綱

中庸胡先生義

中庸指歸

中庸注疏

孟子張宣公解

孟子注疏

孟子纂圖

孟子精義

孟子詳解

孟子問答

孟子節文

孟子蔡覺軒集注

論語評

尊孟辨

---

① “語”，《文淵閣書目》卷四作“孟”。

性理

先聖大訓

顔子

曾子

孔子家語

子思子

小學

曾思二子

通書發揮

周子附録

程子粹言①

周子通書

通書發揮

程氏經説

趙氏遺書

周子太極通書

周子太極圖

周子通書訓②

周子太極問答

太極圖發揮

皇極經世書

程氏文集

---

① “粹”，原誤作“碎”，據《文淵閣書目》卷四改。
② “訓”後，《文淵閣書目》卷四有一“義”字，於義為勝。

伊洛精義

張子西銘

濂溪集

二程語録

伊洛淵源

程氏外書

二程門人集師説

程子發蒙新書①

西銘解義

皇極經世書類要

皇極經世指要

西銘綱領

張子正蒙

張子經學理窟

皇極經世運卦

張子語録

西銘發揮綱領

皇極經世衍數

皇極經世正聲正音綱目

觀物外編衍義②

皇極經世圖譜

經世圖

邵子漁樵問答③

皇極內篇

---

① "子"，《文淵閣書目》卷四作"氏"。
② "編"，《文淵閣書目》卷四作"篇"。
③ "問"，《文淵閣書目》卷四作"對"。

皇極通變

上蔡語録

延平問答

觀物外編①

龜山語録

延平語録

胡子知言

晦庵語録

紫陽宗旨

朱子三書

小學纂疏

文公語略

朱子成書

性理羣書

南軒語録

文公語録續後集

晦庵語續録

近思録發揮

真文忠公心政經

東萊讀書記

真西山學規

朱文公續語録

朱文公注易參同契

近思録

朱子語録格言

① “編”，《文淵閣書目》卷四作“篇”。

真文忠公心經集傳①

道命録

象山語録

勉齋語録

慈湖遺書

麗澤論説

象山遺言②

勉齋講義

北溪字義③

先儒講義

真西山讀書記

饒雙峰講義

王魯齋　研幾圖

真文忠公四書注

諸儒鳴道集

楚澤先生問學

王實齋心學

陳潛室　木鐘集

十先生奥論

許魯齋　學言④

陳舜中　審是録⑤

許魯齋　心法

---

① “心”字原脱，據《文淵閣書目》卷四補。

② “言”，《文淵閣書目》卷四作“書”。

③ “字”，原誤作“家”，據《文淵閣書目》卷四、《四庫全書總目》卷九十二改。

④ “魯”，原誤作“庸”，據《文淵閣書目》卷四改。

⑤ “録”，《文淵閣書目》卷四作“集”。

性理會元

性理指要①

理學類編

性理文錦

性理淵源②

性理正宗③

劉荀　明本

性理字訓

史繩祖　池陽講書本末

石洞紀聞

魯齋語録

梅裕堂講義

明善録

經學明訓

魯齋遺言④

洙泗源流

天原發微

饒煥録　朱張問答⑤

洙泗問津

增廣字訓

諸路課試講義⑥

樂庵語録

聖門事業圖

---

① “理”，《文淵閣書目》卷四作“學”。
② “理”，《文淵閣書目》卷四作“學”。
③ “性理”，《文淵閣書目》卷四作“理學”。
④ “言”，《文淵閣書目》卷四作“書”。
⑤ “問答”，《文淵閣書目》卷四作“答問”。
⑥ “試”，《文淵閣書目》卷四作“會”。

鳴道集説

家山圖書①

孔子追謚詔文

孔子世家補

孔子實録

孔聖圖譜

闕里譜系

勉齋年譜

孔子年編

素王事紀

孔庭纂要

雙峰年譜

朱文公傳

宋名臣言行録

尹和靖言行録

龜山年譜

紫陽先生年譜

吳文正公年譜

經濟

前後漢詔令

魏鄭公諫録

范文正公奏議

唐太宗　帝範

---

①　“山”，原誤作“小”，據《文淵閣書目》卷四、《四庫全書總目》卷九十二改。

陸宣公奏議

包孝肅公奏議

南唐陳致雍　曲臺奏議①

王明叟　內翰奏議

宋富范劉三老奏議②

張魏公　中興備覽

宋仁皇訓錄③

富文忠公奏議

范蜀公奏議

建炎聖政草④

東南防守利便錄⑤

蘇東坡奏議

任伯雨　戀草

李文肅公經濟編

江東望奏議⑥

陳修撰奏議

葉正則賢良進卷

張南軒奏議⑦

唐賢策要

---

① "雍"、"曲臺"，原誤作"臺"、"雍典"，據《文淵閣書目》卷四、《四庫》本《宋史》（以下簡稱《宋史》）卷二百四改。

② "富"，《文淵閣書目》卷四作"傅"。

③ "錄"，《文淵閣書目》卷四作"典"。

④ "炎"，原誤作"言"，據《文淵閣書目》卷四改。

⑤ "錄"，《文淵閣書目》卷四無。

⑥ "東"，《文淵閣書目》卷四作"公"。按，《四庫》本《宋名臣奏議》中多載江公望奏議，當據改。

⑦ "南"，原誤作"東"，據《文淵閣書目》卷四、《四庫全書總目》卷一百六十一"南軒集"條改。

宋詔令

呂東萊集歷代奏議

朱子奏議

帝學録

龍升之　中興政要①

胡忠簡公奏議

陳正獻公奏議

張魏公奏議

趙忠定公奏議

韓元吉　登封録②

楊萬里論策

鄭魯公　西垣詞草

吳仲　嬰麟吐金集③

鑑古編

彭龜年　内治聖鑑

呂東萊　制度詳説④

董熅　活民書⑤

趙庸齋　瑣闈集

崔菊坡奏疏

倪思　承明集

牟清忠公奏議⑥

----

①　"之"字上原誤衍一"興"字，據《文淵閣書目》卷四、《四庫》本《江西通志》卷七十六刪。

②　"封"，原誤作"對"，據《文淵閣書目》卷四改。

③　"仲"、"麟"，《文淵閣書目》卷四作"伸"、"鱗"。按"嬰鱗"，於義為勝。

④　"詳"，原誤作"祥"，據《文淵閣書目》卷四改。

⑤　"熅"，原誤作"熠"，據《文淵閣書目》卷四、《四庫全書總目》八十二改。

⑥　"牟"，原誤作"年"，據《文淵閣書目》卷四、《千頃堂書目》卷三十改。

趙庸齋表箋

朱子經濟文衡①

章公權進卷

鄭立庵内制

陳模　東宮備覽

宋掖垣詞草

鄭立庵外制

國之材　青宮備覽②

樓山奏議③

宋太平寶訓

錢文子　漢唐制度

李橘園策

萬年龜鑑録④

曹彥約　經帷管見

吕中　皇朝大事記講義

謝疊山　考定策券

宋名臣經濟録續編

宋名臣經濟録

劉顏　輔弼名對

大元通制

宋名臣奏議

皇明崇儒寶訓

國朝綸綍

---

① "文衡"，原誤作"衡文"，據《文淵閣書目》卷四、《四庫全書總目》卷九十五乙正。

② "材"，原誤作"林"，據《文淵閣書目》卷四、《千頃堂書目》卷十一改。

③ "樓"，原誤作"梅"，據《文淵閣書目》卷四、《千頃堂書目》卷十一改。

④ "鑑"，《文淵閣書目》卷四作"鏡"。

國朝典章

皇帝寶範

張珍　累代世範纂要①

詔赦條畫

元經筵録

趙天麟　太平金鏡策

張養浩　經筵餘旨②

瞻思　河防通議

歷代事實

鄭以忠　宫學正要

吳助教　萬言策③

梁寅　策要④

虚白處士　爲政九要

林泉生　古今制度通纂

孫可淵　集詔誥章表

郭明如　集詔誥章表

劉鼎　策場制度通考

馮子亮　舉業筌蹄

李縉翁　三場文範

劉錦文　答策秘訣

元儒時務策準

梁寅　方策稽要

---

①　“累”，《文淵閣書目》卷四作“疊”。

②　“旨”，原誤作“音”，據《文淵閣書目》卷四、《千頃堂書目》卷十一改。

③　“吳”，《文淵閣書目》卷四作“呂”。

④　“寅”，原誤作“賓”，據《文淵閣書目》卷四、《千頃堂書目》卷三十二改。下面“梁寅方策稽要”條亦作相應改正。

朱禮　對策機要

董倫　太平直言

史

史記

晉書

梁書

陳書

司馬貞　史記索隱

蘇子由　古史

南史

隋書

王益之　兩漢年記

荀悅　前漢記

北史

唐書

前漢書

前漢贊論

南宋書

呂東萊　大事記

後漢書

後漢贊論

南齊書

劉敞　漢書標注

王益之　西漢年記考異

王偉　班史名物編

陸狀元資治通鑑詳節

趙居信　蜀漢本末

蕭常續後漢書①

袁宏　後漢記

陶岳　五代史補

竇苹　唐書音訓②

五代史纂誤

資治通鑑目録

三國志

後魏書

北齊書

王十朋　唐書詳節③

九國志

後周書

南唐書

司馬温公　稽古録

王禹偁　五代史闕文

新唐書略

貞觀正要④

吕東萊　十七史詳節

唐書音釋

唐書直筆

---

①　“常”，原誤作“公”，據《文淵閣書目》卷五、《四庫全書總目》卷五十改。

②　“苹”，原誤作“萍”，據《文淵閣書目》卷五、《四庫全書總目》卷一百十五所載“酒譜”條改。

③　“詳”，原誤作“祥”，據《文淵閣書目》卷五改。

④　“正”，《文淵閣書目》卷四作“政”。下同。

五代史通鑑

舊唐書

五代史

齊推通歷

宋東都事略

唐贊論

宋鑑編

資治通鑑

齊紀大略①

資治通鑑前例

胡三省　音注通鑑

少微通鑑

資治通鑑考異

宋九朝紀事本末

皇王大紀

通鑑前編

通鑑綱目

綱目舉要

宋煇　周鑑

通瑙外紀

通鑑續編

綱目提要

綱目書法

唐鑑

宋史

---

① "齋",《文淵閣書目》卷五作"帝"。

宋史略

宋朝要録

宋鑑通考

宋鑑

金史

元史略

宋朝事實

宋太平紀事本末

宋中興紀事本末

遼史

宋中興編年綱目

曾先之　十八史略

元史

宋九朝通略

宋中興小歷

遼史目録釋疑

宋十朝綱要

歷代甲子圖

元朝秘史續集

宋丁未録

契丹國志

大金國志

元史節要

宋鑑纂要

史考集補

元朝秘史

元史補遺

歷代帝王歷統記①

宋中興編年備要

歷年編數②

歷代帝王譜括

歷代帝王圖

元史外聞

歷代譜贊

京口耆舊録③

稽古圖

歷代史譜

歷代紀年

北盟録

史附

路史

孝史

呂東萊　　觀史類編

劉國器　　綱目書法纂要

張南軒　　通鑑論篤

吳仁傑　　兩漢刊誤補遺

致堂管見

通鑑釋文

通鑑總類

---

①　"統記"，原誤作"流紀"，據《文淵閣書目》卷五改。

②　"編"，《文淵閣書目》卷五作"總"。

③　"録"，《文淵閣書目》卷五作"傳"。

綱目集見①

史學金鑑

通鑑缺疑

通鑑補遺

綱目稽疑

吕大著　通鑑精義

通鑑釋文辨誤

小學史斷

孔克表　綱目音訓

周焱　通鑑論斷

古今通要

劉國器　綱目發微

十七史纂講義

史記闕文

尹起莘　綱目發明

洪邁　史記法語

吳越備史

袁樞　通鑑紀事本末

帝王本支考②

三國志精語

七制三宗史編句解

穆天子傳

唐中朝故事

孫吾與　綱目音釋

---

① “見”，《文淵閣書目》卷六作“覽”，於義爲勝。

② “考”，《文淵閣書目》卷六無。

十七史纂通要

高氏小史

陳興道　經史互紀

洪邁　西漢法語

十二國史

錢參政　諸史提要

章衡　編年通載

吳越春秋

王益之　西漢鑒論

何俌　西漢補遺①

西漢會要

趙青山　史記纂

東漢會要

楊正衡　晉書音義

洪邁　東漢精語

兩漢博聞②

唐太宗建元實跡

陳思　書小史

錢時　兩漢筆記

孫甫　唐史治論③

宋太平治跡④

李壽　六朝博義⑤

---

① “俌”，原誤作“備”，據《文淵閣書目》卷六、《四庫》本《郡齋讀書志》（以下簡稱《郡齋讀書志》）卷五上改。

② “兩”，原誤作“西”，據《文淵閣書目》卷六、《四庫全書總目》卷六十五改。

③ “孫”，原誤作“孔”，據《文淵閣書目》卷六、《四庫全書總目》卷八十八改。另，“治論”，《文淵閣書目》作“記論”，《四庫全書總目》作“診斷”。

④ “跡”，原誤作“跰”，據《文淵閣書目》卷六改。

⑤ “壽”，《文淵閣書目》卷六作“燾”。

唐宋名賢確論

越絶書

漢雋

晉書精語

宋朝宰輔編年録

唐會要

蜀鑑

南史精語

李心傳　舊聞證誤

建康實録①

唐元和録

宋隆平集

南唐近事

唐起居注

五代會要

宣政雜録

江南餘載

宋會要

宋中興目録

分修宋史

曾公遺録

靖康録

建炎時政記

宋史後補

唐才子傳

---

①　“建”,原誤作“孝”,據《文淵閣書目》卷六、《四庫全書總目》卷五十改。

中興百官年表

宋中興十三處戰功錄①

孝子傳

中興百官題名記②

范文正公年譜拾遺③

忠臣傳

中興金政④

中興館閣錄

宋續編兩朝綱目

東坡遺事

南北史外傳⑤

三朝名臣言行錄

廉吏傳

三國編年要略

四朝名臣言行錄

列女傳

少陵先生年譜

五朝名臣言行錄

劉向　列女傳

四朝聞見錄

曹武惠王言行錄

諸葛武侯傳

---

① “錄”，《文淵閣書目》卷六無。
② “記”，《文淵閣書目》卷六無。
③ 《文淵閣書目》卷六有此條目相關的三個條目：“范文正公年譜”、“范文正公言行拾遺”、“范文正公遺跡”。
④ “金”，《文淵閣書目》卷六作“聖”。
⑤ “外”，《文淵閣書目》卷六作“列”，於義為勝。

中興忠義録

富鄭公使北語録

李心傳　建炎繫年要録

安定先生言行録

劉氏傳忠録①

文丞相傳

吕忠穆公逢辰記

范文正公年譜

宋朝名臣編要

韓魏公家傳

范文正公遺跡

宋朝名臣事略

戊辰修史傳

古列女傳直説

吕文穆公外傳②

西夏析支録③

慈湖先生行狀

鄂國金陀粹編

高麗國書簡

崔清獻公言行録

宋名臣言行録

元秘書志

日本國歷代世紀

宋濂　歷官紀④

---

① "傳"字原脱，據《文淵閣書目》卷六補。

② "外"，《文淵閣書目》卷六作"列"。

③ "析"，原誤作"折"，據《文淵閣書目》卷六改。

④ "歷"前，原衍一"列"字，據《文淵閣書目》卷六删。

朝鮮本末

黑達事略

夷夏錄

陸氏廿一史闕文

諸史會編

十六國春秋

史雜

直説通略

歷代源流

古今通略

歷代敘略

歷代帝王紀事纂要

讀史明雜辨

路史發揮

歷代帝王年運銓要

續通鑑要略

史學提要

通鑑末議

古今紀要

歷鑑淵源①

通鑑採異

通鑑紀要

萬古通今②

---

① “鑑”，《文淵閣書目》卷六作“代”。下“歷鑑蒙求”條同。

② “通”，《文淵閣書目》卷六作“一”。

歷鑑蒙求

江東十鑑

古今通系論

漢武帝洞冥記

晉史發明論斷

舊唐書雜論

三國六朝事實

戴遜　晉史屬辭

南北分門事類

開元天寶遺事

唐新史傳纂①

南北史續世説

東平忠靖王傳

天寶西幸記

池詠漢繪

公子書

晉史揮塵②

安禄山事跡

池詠唐繪

桓温傳

唐史屬辭

唐滕王外傳

唐奉天録

唐國史補

---

① "傳"，《文淵閣書目》卷六無。

② "揮塵"，原誤作"攟鹿"，據《文淵閣書目》卷六改。

昭明事跡

唐小説

唐宰輔記

大唐新語

尚書故實^①

平蔡録

薛仁貴征遼事略

李濬　松窗雜記

謫仙外傳

令狐澄　貞陵遺事

邵伯温　聞見録

高力士傳

李贊皇　近事會元^②

林文節公野史

玉壺野史

裴庭裕　東觀奏記

番陽名臣事略

西齋話記

吕東萊　大事記解題^③

南部煙花録

大越史略^④

范仲將　道鄉危言録

岳珂　愧郯録

---

① "實"，原誤作"寶"，據《文淵閣書目》卷六改。
② "皇"，原誤作"王"，據《文淵閣書目》卷六、《四庫全書總目》卷一百十八改。
③ "題"，原誤作"提"，據《文淵閣書目》卷六改。
④ "史"，原誤作"事"，據《文淵閣書目》卷六、《四庫全書總目》卷六十六改。

岳珂　桯史

李肇　翰林志

嘉紹本議①

雜録備對

厚德録

慶元黨禁録

常侍言旨

宣和遺事

征南録

清溪弄兵録

嘉定狀元及第圖記②

辛巳泣蘄録

靖康守城録

嘉定宰相慶會圖記

炎德復輝録

石湖居士攬轡録

元聖武開天記

朝野雜記

魏泰　東軒筆録

注解通系録

聞見續稿③

建炎復辟記④

---

① "議",原誤作"義",據《文淵閣書目》卷六改。

② "記",《文淵閣書目》卷六無。下"嘉定宰相慶會圖記"條同。

③ "稿",《文淵閣書目》卷六作"録"。

④ "炎"、"記",原誤作"德"、"録",據《文淵閣書目》卷六、《四庫》本《直齋書録解題》(以下簡稱《直齋書録解題》)卷五改。

文昌雜録

吳中舊事

丙丁龜鑑

荃翁貴耳編①

武林舊事

孫公談圃

石林燕語

聞景　福華編

竊憤録②

玉堂雜記

金德運議

完顏亮史記

叢采記③

咸淳遺事

汝南遺事

辜君政績記

元平宋録

松漠紀聞④

卻掃編

東平王世家

壬辰雜編

南蠻敘略

① “編”，《文淵閣書目》卷六作“集”。

② “憤”，原誤作“慣”，據《文淵閣書目》卷六、《四庫全書總目》卷五十二改。

③ “采”，原誤作“米”，據《文淵閣書目》卷六改。

④ “松”、“紀”，原誤作“水”、“記”，據《文淵閣書目》卷六、《四庫全書總目》卷五十一改。

耆定錄

宋南渡錄

風俗通

歸潛志①

弔伐錄

謀夏錄

博物志

保越錄

元史論

子書

老子道德經

老子龔士尚句解

關尹子

莊子南華經

老子林希逸口義

鄧析子

老子河上公注

老子邵若愚直解

晏子新書

老子蘇子由注

列子林希逸口義

文子纘義②

---

① “志”，原誤作“記”，據《文淵閣書目》卷六、《四庫全書總目》卷一百四十一改。

② “纘”，原誤作“續”，據《文淵閣書目》卷七、《四庫全書總目》卷一百四十六改。

管子房玄齡注

莊子晉郭象注

列子張湛注

亢倉子何粲注

莊子呂惠卿解

太玄温公注

莊子成玄英注疏

管子

慎子

公孫龍子

莊子林希逸口義

墨子

商子

呂氏春秋

子華子

鶡冠子

荀子唐楊倞注

劉向新序

鬼谷子

魯連子

荀子龔士卨解

揚子法言①

韓非子

燕丹子

劉向　說苑

———————————

① "揚"，原誤作"楊"，據《文淵閣書目》卷七改。

太玄經

抱朴子①

孔叢子

淮南子

太玄索隱

翼玄

天鬻子

荀悦　申鑒

陳元方　削荀子疵

文中子元經

潛虛演義

諸子瓊林

傅子

文中子中説

司馬温公潛虛

過文中子言

史子樸言②

諸子言要英華

吳枋　里仁子

戰國策

聲隅子

尹文子

郁離子

具區子

---

① “朴”，原作“樸”，據《文淵閣書目》卷七、《四庫全書總目》卷一百四十六改。

② “樸言”，《文淵閣書目》卷七作“朴語”。

草木子

淮南鴻烈解

子雜

弟子職

王子年　拾遺記

唐摭言①

王勃　羲鑒銘箋

賈誼　新書

曹大家　女誡

李德裕　次柳氏舊聞

馬融　忠經

應劭　風俗通②

南唐逸叟釣磯立談

王充　論衡

劉邵　人物志

段成式　酉陽雜俎

劉熙　釋名

方言郭璞注

劉崇遠　金華新編

蔡邕　獨斷

劉公嘉話

李涪　刊誤

---

① "摭"，原誤作"按"，據《文淵閣書目》卷七、《四庫全書總目》卷一百四十改。

② "劭"，原誤作"邵"，據《文淵閣書目》卷八、《四庫全書總目》卷一百二十改。

元城語録

顏氏家訓

仲蒙子書

東坡志林

道山清話

李德裕　戎幕閑談

劉餗　隋唐嘉話①

柳子龍　城録

休仲蒙　續孟書②

李途　記室新書③

趙璘　因話録

陸龜蒙　小名録④

張固　幽閒鼓吹

馮道　益智書

李濟翁　資暇集⑤

范攄　雲溪友議

范蜀公　正書⑥

玉泉子　聞見真録

陳后山　談叢

孔平仲　雜說

林和靖　省心詮要⑦

---

① "餗",原誤作"餗",據《文淵閣書目》卷八、《直齋書録解題》卷十一改。

② "休仲",《文淵閣書目》卷八作"林仲"。

③ "記",原作"紀",據《文淵閣書目》卷八、《郡齋讀書志》後志卷二改。

④ "小",原誤作"水",據《文淵閣書目》卷八、《四庫全書總目》卷一百三十五改。

⑤ "濟",原誤作"齊",據《文淵閣書目》卷八、《四庫全書總目》卷一百十八改。

⑥ "正"前,原衍一"六"字,據《文淵閣書目》卷八、《遂初堂書目》删。

⑦ "省",原誤作"考",據《文淵閣書目》卷八改。

晁語之　客語

沈括　忘懷録①

王文正公筆録

龍明子　葆光録

王陶　談淵

宋景文公筆録

司馬温公家範

沈括　筆談

張齊賢　洛陽縉紳舊聞記

范蜀公東齋記事

歐陽萬里　孝文同風

蘇黄門　龍川略志

張文潛　明道鍾志②

三槐王氏雜録

呂氏鄉約

朱無惑　萍洲可談③

張舜民　郴行録④

李氏紀聞

孔平仲　珩璜新編

文瑩　玉壺清話

楊公筆録

馮翊子　桂苑叢談⑤

---

① “忘”，原誤作“志”，據《文淵閣書目》卷八、《直齋書録解題》卷十改。

② “鍾”，《文淵閣書目》卷八作“通”，於義為勝。

③ “洲”原誤作“州”，據《文淵閣書目》卷八、《四庫全書總目》卷一百四十一改。

④ “郴”，原誤作“柳”，據《文淵閣書目》卷八、《四庫全書總目》卷一百五十四“畫墁集”條改。

⑤ “翊”，原誤作“詡”，據《文淵閣書目》卷八、《四庫全書總目》卷一百四十二改。

趙德麟 侯鯖録

沈氏寓簡

錢希白 南部新書[①]

蘇鶚 杜陽雜編

吴箕 常譚

黄休復 茅亭客話

陸氏家世舊聞

容齋隨筆

王闢之 澠水燕談録[②]

高君承 事物紀原

補筆談

李獻民 雲齋廣録

黄朝英 青箱雜記

仙愚録

李敬齋 古今黈

吕原 明雜記

朱子童蒙須知

馬永易 實賓録

吕氏童蒙訓

葉少藴 避暑録

彭淵材 墨客揮犀[③]

江鄰幾雜誌

---

① "南部"原脱,據《文淵閣書目》卷八、《郡齋讀書志》卷二上補。

② "闢",原誤作"潤","燕談"原脱,據《文淵閣書目》卷八、《四庫全書總目》卷一百四十分别改、補。

③ "材",原誤作"林",據《文淵閣書目》卷八、《四庫全書總目》卷一百四十一改。

姚寬　西溪叢語①

陸游　老學庵筆記

王性之　默記

晦庵訓子帖

陵陽先生室中語

紫陽東游記

東萊辨志録

李邦彦　省心雜言②

晦庵讀書法

楊慈湖　蔽書

劉彦沖　聖傳十論

范石湖　驂鸞録

東萊閫範

葉少藴　東軒雜録

楊慈湖　吳中録

東萊雜説

東萊家範

鶴山渠陽雜鈔

朱翌　猗覺寮雜記③

鶴山雅言

聶麟　學海資用

---

①　"寬"、"溪"，原誤作"子"、"漢"，據《文淵閣書目》卷八、《四庫全書總目》卷一百十八改。

②　"雜"，原誤作"録"，據《文淵閣書目》卷八、《四庫全書總目》卷九十二改。另此書作者《四庫全書總目》作"李邦獻"，為李邦彦之弟。

③　"翌"、"猗覺寮"，原誤作"翼"、"椅覺寮"，據《文淵閣書目》卷八、《四庫全書總目》卷一百十八改。

李之彦　東谷所見

韓澗泉日記

塗近正　明倫集

鄭時中　影響録

唐仲友　愚書

龔鼎臣　東原録

黄光大　積善録

趙希循　會心録

雪溪揮麈録

王明清　投轄録

李伯崇　樂善録

王明清　餘話

俞文豹　吹劍録

趙孟奎　善善録

徐卿　家範①

曾汲古　服膺録

廖議夫　關化書

高似孫　緯略

方昕　家訓集鑑

吳仁傑　鹽石新論②

周密　齊東野語

袁氏世範

陳子兼　捫蝨新話

---

①　“家”後，原衍一“訓”字，據《文淵閣書目》卷八刪。

②　“仁”、“鹽”，原誤作“人”、“監”，據《文淵閣書目》卷八、《四庫全書總目》卷一百十八“演繁露”條所引改。

周密　浩然齋雅談①

劉氏訓蒙

劉昌詩　蘆浦筆記②

何光　膠言録

陳石堂字義③

羅大經　鶴林玉露

周密　澄懷録④

范景文筆記

高晦叟　珍席放談

吳準齋雜説

迂齋論説⑤

周密　雲煙過眼録⑥

羅子蒼　識遺

玉堂文考⑦

軒渠集

吳曾　能改齋漫録

姚忠孝　逍遙傳記

徂異集⑧

張世南　遊宦記聞

張師正　倦遊雜録

---

① “齋”字原脱，據《文淵閣書目》卷八、《四庫全書總目》卷一百九十五補。
② “蘆”，原誤作“蒲”，據《文淵閣書目》卷八、《四庫全書總目》卷一百十八改。
③ “石”、“字”，原誤作“世”、“家”，據《文淵閣書目》卷八改。
④ “録”字原脱，據《文淵閣書目》卷八補。
⑤ “迂”，《文淵閣書目》卷八作“迁”，於義為勝。
⑥ “雲煙”，原誤作“煙雲”，據《文淵閣書目》卷八、《四庫全書總目》卷一百二十三改。
⑦ “考”，《文淵閣書目》卷八作“老”。
⑧ “集”，《文淵閣書目》卷八作“志”。

胡仔　苕溪漁隱

吴枋　宜齋野乘

齊齋開卷録①

朱弁　曲洧舊聞

羅文恭筆記

方勺　泊宅編

何薳　春渚紀聞②

王正德　餘師録

王洙　談録

馬純　陶朱新録

方炳　晦翁漫説

劉炎　邇言③

葉澤卿　西湖紀逸

許仲龍　金澗學言

造玄集

沈君玉　逸民漫鈔

龔頤正　續釋常談

采真集

倪氏思　經鋤堂雜誌④

秀野堂脞記⑤

心寳治論

汪文振　製錦管見

---

① “開”，原誤作“聞”，據《文淵閣書目》卷八改。

② “薳”、“紀”，原誤作“遠”、“記”，據《文淵閣書目》卷八、《四庫全書總目》卷一百二十一改。

③ “炎”，原誤作“言”，據《文淵閣書目》卷八、《四庫全書總目》卷九十二改。

④ “氏”，《文淵閣書目》卷八無。

⑤ “野”，《文淵閣書目》卷八作“雅”。

莊綽　鷄肋編

甕牖閒評

張淏　雲谷雜記

邢凱　坦齋通編

吳沆　環溪集①

龔頤正芥隱筆記②

周煇　清波雜志③

郭彖　睽車志④

施君美　別釋常談

王懋　野客重言

戴埴　鼠璞⑤

趙彥衡　雲麓漫鈔

費袞　梁溪漫志

是齋售用

百衲居士叢談

宋伯仁　煙波圖

陳思　小字録

吳自牧　夢梁録

茅吉甫　聞見録

史弼　景行録

耐德翁　就日録

謝伋　四六談塵

---

① “沆”，原誤作“沅”，據《文淵閣書目》卷八、《四庫全書總目》卷一百九十五“環溪詩話”條所記改。

② “頤正”原脫，據《文淵閣書目》卷八、《四庫全書總目》卷一百十八補。

③ “煇”，原誤作“輝”，據《文淵閣書目》卷八、《四庫全書總目》卷一百四十一改。

④ “彖”，原誤作“冢”，據《文淵閣書目》卷八、《四庫全書總目》卷一百四十二改。

⑤ “埴”，原誤作“慎”，據《文淵閣書目》卷八、《四庫全書總目》卷一百十八改。

湘山野録

景煥　牧豎閒談

譚友聞　自號録

北窗叢録

俞鼎孫　儒學警悟①

程端禮　讀書日程

筆略

趙子集　隨時録用

熊大年　集書指意

敘異

耆舊續聞

譬喻纂言②

吳亮　忍經

續澄懷録

常談脞録

廣川書跋

雲山夜話

王廉　迂論

吳仲良　家寶世範

楊瑀　山居新語

摭遺新説③

范立本　明心寶鑒

謝應芳　辨惑編

閩中新録

---

① “儒”，原誤作“孺”，據《文淵閣書目》卷八改。

② “纂”，原誤作“慕”，據《文淵閣書目》卷八改。

③ “摭”，原誤作“撫”，據《文淵閣書目》卷八改。

蒲處貫　保生要録

洛上翁　谷中書

虬髯客傳①

袁時億　訓蒙要語②

黃文獻公筆記

滑稽逸傳

葉留　延壽録

淩翀　日聞録

詼諧珍選

雜録

劉詞　順生録③

侍兒小名録

青瑣高議

詩謎

續行都紀事

張氏太古會原論

學莊可書

曾文寶雜類

兼明書④

古今諺

滑稽集

北里志

古今高士傳

---

① "髯",《文淵閣書目》卷八作"鬚"。
② "時",原誤作"明",據《文淵閣書目》卷八、《千頃堂書目》卷三改。
③ "順",《文淵閣書目》卷八作"頤"。
④ "書",原誤作"善",據《文淵閣書目》卷八、《四庫全書總目》卷一百十八改。

文集

昭明文選

文選補遺

文章正宗

文選類林

文苑英華

文章規範①

帝王文制②

麗澤集文

古文關鍵

層瀾文選

崇古文訣③

掇英古文

古今文鑑

妙絶古今

文選雙字類要

文苑英華辨證

續文章正宗

文選五臣同異

湛溪近古文華④

宋皇朝文鑑

---

① “規”，《文淵閣書目》卷九作“軌”。
② “文”，《文淵閣書目》卷九作“之”。
③ “訣”，原誤作“記”，據《文淵閣書目》卷九、《四庫全書總目》卷一百八十七改。
④ “華”，《文淵閣書目》卷九作“章”。

迂齋標注諸家文集

文心雕龍

二百家文粹

周紫芝　太倉稊米集

文章緣起

元國朝文類

麗澤文式

修辭鑑衡

古賦辨體

西漢文類

文章蹊隧

賦宗撮要

日誦賦範

東漢文鑑

諸儒奧論

賦題星鳳

楚辭注解

海內儒宗

求賢文藪①

古今選玉②

三國文類

天下同文

古文苑

西漢策

文海

---

① "求"，《文淵閣書目》卷九作"宋"。

② "玉"，原誤作"王"，據《文淵閣書目》卷九改。

文説

楊子雲文集

三國文

東漢策

文則

賦纂

張説之文集

唐文粹

古賦題

楚辭

變離騷

羣公四六集①

宋文鑑

續楚詞

元賦

宣城集

四六寶苑

大全文粹

宋諸賢獻壽文

包宏齋　宏辭總數②

嵇康文集

昭明太子文集

陸宣公文集菁華③

陸氏二俊文集

---

① “四”，原誤作“西”，據《文淵閣書目》卷九改。另，“集”字，《文淵閣書目》無。
② “數”，《文淵閣書目》卷九作“類”，於義為勝。
③ “菁”，原誤作“著”，據《文淵閣書目》卷九改。

江文通文集

曹子建文集

皇甫持正文集

張曲江文集

駱賓王文集

陳伯玉文集

王右丞文集

祝充　韓文音義

沈佺期文集

元次山文集

潘緯　柳文音義

顏魯公文集

韓昌黎文集

元氏長慶集

陸宣公文集

柳子厚文集

白氏長慶集

獨孤公文集

劉禹錫文集

司空表聖文集

權載之文集

李深之文集

王黃州　小畜藁①

李文公文集

---

　　①　"畜"，原誤作"富"，據初編本、《文淵閣書目》卷九改。另，"藁"，《文淵閣書目》作"集"。

呂和叔文集

杜牧之　樊川集

李元賓文集①

歐陽詹文集

韓魏公　安陽集

李義山文集

皮日休文集

何自然　小山雜著

沈下賢文集

李衛公文集

楊文公　武夷新集

黃御史文集

張乖崖文集

南陽趙叔靈文集

徐騎省文集

柳仲塗文集

河南穆伯長文集

楊文公別集

余襄公文集

范文正公尺牘

夏英公文集

文潞公文集

晏元獻公文集

范文正公文集

宋元憲公文集

---

① “賓”，初編本作“濱”。

三蘇文集

范忠宣公文集

趙清獻公文集

東坡翰墨

張安道　樂全文集

蔡端明文集

眉山嘉祐集

歐陽文忠公文集

蘇老泉文集

蘇東坡文集

胡文恭公文集

東坡別集

王荆公　臨川集

司馬溫公文集

東坡後集

司馬溫公家傳①

東坡尺牘

蘇潁濱文集

陳忠肅公　了齋集

程氏文集

王荆公文集

王逢原　廣陵文集

周濂溪文集

程伊川大全集

程伊川文集

程明道文集

---

① “家傳”，《文淵閣書目》卷九作“傳家集”。

劉元城　盡言集

伊川擊壤集

曾南豐文集

三劉先生文集

劉龍雲文集

劉元城文集

劉貢父　彭城集

劉忠肅公集

古靈陳先生集①

左史劉公集

徐節孝文集

許景衡　橫塘集

鄭氏　郎溪集②

石徂徠文集

蘇子美文集

黃山谷文集

晁補之　雞肋集

李泰伯文集

陳后山文集

李覯　皇祐續稿

山谷刀筆

秦淮海文集

晁説之　嵩山文藁③

---

　　① "集"前,《文淵閣書目》卷九有"文"字。
　　② "氏",原誤作"史",據《文淵閣書目》卷九改。按,據《四庫全書總目》卷一百五十三,"鄭氏"指"鄭獬"。
　　③ "藁",《文淵閣書目》卷九作"集"。

山谷簡尺

張宛邱文集

樓叔韞郳　峰漫録①

李廌　濟南集②

梅宛陵文集

彭氏鄱陽文集

唐子西文集

强祠部文集③

文與可　丹淵集

尹和靖文集

黄庶　伐檀集

李昭玘　樂静集④

祖龍學文集

金君卿文集

元章簡　玉堂集⑤

王氏華陽集

蘇魏公文集

周美成　清真雜著

范太史文集

王魏公文集

吳元鈞　静德文集⑥

---

① “郳”，《文淵閣書目》卷九作“郎”。

② “廌”，原誤作“薦”，據《文淵閣書目》卷九、《四庫全書總目》卷一百五十四改。

③ “祠”，原誤作“詞”，據《文淵閣書目》卷九、《直齋書録解題》卷十七改。

④ “玘”，原誤作“己”，《文淵閣書目》卷九作“芑”，此據《四庫全書總目》卷一百五十五改。

⑤ “元”，原誤作“王”，據《文淵閣書目》卷九、《直齋書録解題》卷十七改。

⑥ “吳”，《文淵閣書目》卷九作“吕”。

周美成文集

李復　潏水集

沈氏三先生文集

韋錢唐文集

華鎮　雲溪集

陸農師　陶山文集①

孔清江文集

楊傑　無爲集

計用章　希通編

王賢良儒志

周博士文集

許翰　襄陵文集②

謝幼槃文集

吕頤浩文集

朱長文　樂圃餘稿③

毛滂　東堂集

汪浮溪文集④

米芾　寶晉英光集

忠簡宗公集

李文蕭公集

葛文康　丹陽集

李莊簡公集

王紫微文集

① “文”，《文淵閣書目》卷九無。
② “襄”，原誤作“墨”，據《文淵閣書目》卷九、《四庫全書總目》卷一百五十五改。
③ “朱”，原誤作“宋”，據《文淵閣書目》卷九、《千頃堂書目》卷二十九改。
④ “汪”，原誤作“江”，據《文淵閣書目》卷九、《四庫全書總目》鄭一百五十六改。

王氏　初寮文集

張順民集①

李澹齋文集

李邦彥　北門集

汪公麟集

張紫薇文集②

劉氏學易文集

馮太師文集

洪皓　鄱陽集

蘇叔黨　斜川集③

呂澹軒文集④

曾搏齋文集⑤

道鄉鄒公文集⑥

陳默堂文集

孫氏　鴻慶集

黃氏演山文集⑦

王氏濟美集

孫尚文尺牘⑧

胡安國　武夷集

楊誠齋文集

---

① “順”，《文淵閣書目》卷九作“舜”，於義為勝。
② “薇”，《文淵閣書目》卷九作“微”。
③ “黨”，原誤作“鄖”，據《文淵閣書目》卷九、《四庫全書總目》卷一百七十四改。
④ “呂”，《文淵閣書目》卷九作“李”。
⑤ “搏”，《文淵閣書目》卷九作“樽”。
⑥ “鄉”，原誤作“卿”，據《文淵閣書目》卷九改。
⑦ “演”，原誤作“賓”，據《文淵閣書目》卷九、《四庫全書總目》卷一百五十五改。
⑧ “文”，《文淵閣書目》卷九作“書”，於義為勝。

周益公文集

李新　跨鼇文集

蔡定齋文集

周益公表啓①

李端叔　姑溪集②

崔宫教集

劉屏山文集

晁子西　嵩山集③

陳止齋集

胡五峰文集

王氏東皋文集

翟忠惠文集

張南軒文集

李忠定公　梁溪集

吕東萊文集

張敬軒文集

曹忠靖　松隱文集

林艾軒文集

廖氏高峰集

劉行簡　苕溪集

黄勉齋文集④

真西山文集

胡致堂　斐然集

---

① “啓”後,《文淵閣書目》卷九有“大全”二字。

② “叔”,原誤作“敘”,據《文淵閣書目》卷九、《四庫全書總目》卷一百五十五改。

③ “西”,原誤作“思”,據《文淵閣書目》卷九、《四庫全書總目》卷一百五十八改。

④ “黄”,原誤作“費”,據《文淵閣書目》卷九、《四庫全書總目》卷一百六十一改。

魏鶴山文集

袁潔齋文集①

葉夢得　建康集

葉水心文集

陳龍川文集

歐陽徹　飄然集

郭印　雲溪集

鄧文節文集

沈與求　龜溪集

崔舍人文集

邱文定公文集②

李知幾　方舟集

羅鄂州文集

曹文簡公集

龜山楊先生文集

樓鑰　攻媿集③

王腖軒文集④

李正民　大隱文集

劉須溪翰墨

曾協　雲莊集

李正民　芸庵類稿

張拙軒初稿

林獻齋文集

張九成　橫浦文集

---

① “袁”，原誤作“裘”，據《文淵閣書目》卷九、《直齋書錄解題》卷十八改。

② “文”，《文淵閣書目》卷九無。

③ “媿”，原誤作“愧”，據《文淵閣書目》卷九、《四庫全書總目》卷一百五十九改。

④ “集”，《文淵閣書目》卷九無。

陸象山文集

鄭景望集

張子固　毘陵文集①

胡澹庵文集

趙時齋集

綦崇禮　北海文集

王魯齋集

許棐　獻醜集

王之道　相山文集

劉龍洲集

戴栩　浣川集

高定子　著齋類稿

許文正公集

郝經　陵川集

鄭剛中　北山集

元遺山文集

程雪樓文集

李璧　鴈湖文集

盧疏齋集

揭曼碩文集②

王龜齡　梅溪文集

何太虛集

宋褧　燕石集

周麟之　海陵文集

---

①　"毘",原誤作"昆",據《文淵閣書目》卷九、《四庫全書總目》卷一百五十六改。

②　"揭",原誤作"楊",據《文淵閣書目》卷九、《四庫全書總目》卷一百七十四改。另,"集"字,《文淵閣書目》無。

劉申齋文集①

劉靜修文集

王龜齡　會稽三賦

吳禮部集

虞伯生文集②

馮時行　緒雲文集

姚牧菴文集③

米本　至治集

洪适　盤洲文集

趙青山文集

陳子方文集

吳芾　湖山文集

陳都官文集

趙鼎臣　竹隱畸士文集

赤城集

韓維　南陽集

劉才邵　杉溪居士文集

清漳集

仲并　浮山先生文集

汪應辰　玉山文集

趙元鎮　忠正德文集

董仲達　霜傑文集

周益公文集

---

① “集”字，《文淵閣書目》卷九無。
② “集”字，《文淵閣書目》卷九無。
③ “菴”，原誤作“齋”，據《文淵閣書目》卷九、《四庫全書總目》卷一百六十六改。

玉堂類稿

眉山蘇仲滋文集

范至能　石湖居士文集

趙中甫　中齋拙稿

陳齊之　惟室文集

薛季宣　艮齋浪語集①

曹教授　橘林文集

歐陽守道　巽齋文集②

畢仲游　西臺文集

周氏楊湖居士集

史堯弼　蓮峰家集

程文簡公　演蕃集

吳顯道　金溪文集

唐仲友　說齋文集

王之望　漢濱文集

袁起巖　東塘文集③

項平安　丙辰悔稿④

艾軒三先生文集

松陵集

趙孟堅　彝齋文編

陸子壽　復齋文集

廬陵集

龐祐甫　白蘋集稿

---

① “艮”，原誤作“良”，據初編本、《文淵閣書目》卷九改。
② “齋”，原誤作“南”，據《文淵閣書目》卷九、《四庫全書總目》卷一百六十四改。
③ “袁”，原誤作“裘”，據《四庫全書總目》卷一百五十九改。
④ “安”，《文淵閣書目》卷九作“菴”。

黃師憲　知稼翁集

括蒼集①

方巨山　秋厓小稿

何一之　松峰時議

南州集

員興宗　九華文集

崔舍人　玉堂類稿

臨汀集

楊夢錫　客亭類稿

廖行之　省齋文集

章貢集

魏了翁　渠陽集

黃次山　三餘集

李雲陽文集

韓元吉　南澗集

王性之　雪溪集

滕王霄文集②

鄧肅　栟櫚文集

李樸　章貢文集

曹文貞公集

潘氏默成文集

王質　雪山文集

周伯琦　官箴

路史羅氏文集

葛侍郎歸愚集

---

① "括"，原誤作"枯"，據初編本、《文淵閣書目》卷九改。

② "王"，《文淵閣書目》卷九作"玉"。"集"字，《文淵閣書目》無。

劉太史文集

孫尚書大全集

王祐　敬齋文集①

三十六峰賦

孫介　燭湖文集

韋齋朱先生集

潛溪精舍集②

王咨　雪齋文集

晦庵先生文集

蘇平仲文集

慕容彥逢　摛文堂集③

周信道　鉛刀編④

夷陵集

張氏于湖居士文集

王炎　雙溪文集

澧陽集

趙汝談　南塘文集

王萊　龜湖文集

劉漫塘稿⑤

趙庸齋　紫霞洲集

趙文齋　蓬萊集

汶陽荒稿

陳耆卿　篔窗文集

---

①　"祐",《文淵閣書目》卷九作"佑"。

②　"溪",《文淵閣書目》卷九作"峰","舍"後,《文淵閣書目》有"文"字。

③　"逢"、"摛",原分別誤作"逢"、"摛",據《四庫全書總目》卷一百五十五改。

④　"鉛",原誤作"釣",據《文淵閣書目》卷九、《四庫全書總目》卷一百五十九改。

⑤　"稿",《文淵閣書目》卷九作"集"。

周南仲　山房稿

胡仲子集

李曾伯　可齋文集[①]

南皋劉先生集

劉習之文集

吕子約　大愚叟集

横槎宏辭所業

高昌碑文集[②]

徐衡仲　西窗文集

袁廣微　蒙齋集[③]

襃賢遺澤

李彌遜　竹溪文集

袁廣微　蒙齋潘江集[④]

劉光祖　後溪文粹

張元幹　蘆川歸來集[⑤]

袁廣微　蒙齋續集

陳愷　可齋文集[⑥]

鄭起　菊山清雋集

包宏齋　敝帚稿

洪舜俞　平齋文集

徐元　炁棊野文集

---

① "曾",原誤作"夢",據《千頃堂書目》卷二十九、《四庫全書總目》卷一百六十三"可齋雜稿"條改。

② "集"字,《文淵閣書目》卷九無。

③ "微",原誤作"徵",據初編本、《四庫全書總目》卷一百六十二改。下"袁廣微"條同。

④ "潘",《文淵閣書目》卷九作"番"。

⑤ "蘆",原誤作"盧",據《文淵閣書目》卷九、《四庫全書總目》卷一百五十八改。

⑥ "愷",《文淵閣書目》卷九作"塏"。

許應龍　東澗文集

鶴林魏先生文集

度周卿　性善堂稿

性善堂續稿

陽昌朝　字溪文集

喻良能　香山文集

陳元晉　漁墅類稿①

楊敬仲　慈湖文集

馬翔仲　碧梧玩芳集

余謙一　文安家集②

楊弘道　小亨集

杜清獻公文集

浯溪石刻集③

虞儔　尊白堂集

張叔蘭　梅坡稿④

滁陽慶歷集

姚成一　雪坡文集

黃應龍　璧林文集

許景遷　野堂行卷⑤

高斯得　恥堂存稿

熊瑞　冕山瞿梧集

---

①　"墅"後，原衍一"家"字，據《文淵閣書目》卷九、《四庫全書總目》，卷一百六十二刪。

②　"余"，原誤作"金"，據《千頃堂書目》卷二十九、《四庫》本《福建通志》卷六十八改。

③　"浯"，原誤作"悟"，據《文淵閣書目》卷九、《宋史》卷二百九改。

④　"蘭"，《文淵閣書目》卷九作"瀾"。

⑤　"遷"、"堂"，《文淵閣書目》卷九分別作"迂"、"雪"。

劉子澄　玉淵文稿

王應麟　困學紀聞

陳仁子　牧萊胜語①

衛宗武　秋聲集

牟巘　陵陽文集

王子充文集

劉後村居士集

文山先生遺文

鄭氏白麟溪集

家鉉翁　則堂文集

程公許　滄洲塵缶編②

王若虛　濟南文集

吳則禮　居士集③

趙閱閱　滏水集

王秋澗文全集④

朱右　白雲稿

王元老　拙軒集

程文憲公文集

徐大章文集

默庵安先生文集

耶律文獻公集

鄭真文集

---

① “萊”，原誤作“菜”，據《文淵閣書目》卷九、《四庫全書總目》卷一百七十四改。
② “公許”，原誤作“許公”，據《文淵閣書目》卷九、《四庫全書總目》卷一百六十三乙正。
③ “居士”前，《文淵閣書目》卷九有“北湖”二字。
④ “文”，《文淵閣書目》卷九作“大”。

臨川吳先生文集①

姚雲　江村近稿

貝瓊文集

李顯卿　寓鄉文集②

蕭㘅　勤齋文集

成都文類

王景初　蘭軒文集

劉敏中　中闇集

潤州類稿③

任叔實　松鄉文集

高文簡公文集

三蘇年表

朱希顏　瓢泉吟稿④

徐野齋　幽放集⑤

洪瓊野錄

舒岳祥　閬風集

槃庵文集⑥

張文穆公集

鄭杓　衍極載記⑦

趙文敏公文集⑧

---

① “先生”後，《文淵閣書目》卷九有“支言”二字。

② “鄉”，《文淵閣書目》卷九作“菴”。

③ “稿”，《文淵閣書目》卷九作“集”。

④ “希”，《四庫全書總目》卷一百六十七作“晞”。

⑤ “野齋”，《文淵閣書目》卷九作“霽野”。

⑥ “槃”前，《文淵閣書目》卷九有“同恕”二字。

⑦ “杓”，原誤作“杓”，據《四庫全書總目》卷一百十二改。“載”，原作“裁”，據《文淵閣書目》卷九改。

⑧ “文”字，《文淵閣書目》卷九無。

孫作　滄螺集

張之翰　西巖文集

王文忠公文集

南州前集

胡祗遹　紫山文集①

王士熙　江亭集

楊州續集②

元明善　清和文集③

虞伯生　道園學古録

馬伯庸　石田文集

虞伯生　道園類稿

張養浩　雲莊集

王與鈞　藍縷稿

渾源劉氏集

張雲莊　家藏集④

熊朋來　豫章集

李氏孝感集

陳衆仲　安雅堂集

魏太初　青崖文集

耶律湛然居士集

蒲道源　順齋叢稿

王元明　達意集

程文獻　南文集

---

① “遹”，原誤作“潏”，據《文淵閣書目》卷九、《四庫全書總目》卷一百六十六改。
② “楊”，《文淵閣書目》卷九作“揚”。
③ “和”，《文淵閣書目》卷九作“河”。
④ “家藏”，《文淵閣書目》卷九作“傳家”。

潘氏遺芳集

徐文俊　從好集

林希元　長林稿

陳氏字孝集①

葉彦清　王楊集

鄭玉　師山文集

魏氏福源編

王毅　訥齋文集

程端禮　畏齋集

李孝光　鴈山十記②

韓明善　五雲漫稿

葉見太　蘭莊舊稿

陳氏鹿皮子文集

宋玄僖　庸庵文集

李仲公文集③

馮子振　受命寶賦

蘇天爵　滋溪文集④

王時潛　石梁文集⑤

方澄孫　烏山小稿

余廷心　青陽文集

劉德玄　亦玄集

許有壬　至正集⑥

---

①　“字”，《文淵閣書目》卷九作“崇”，於義為勝。

②　“光”，原誤作“先”，據《文淵閣書目》卷九、《千頃堂書目》卷八改。

③　“文”前，《文淵閣書目》卷九有“俟菴”二字。

④　“滋”，原誤作“慈”，據《文淵閣書目》卷九、《四庫全書總目》卷一百六十七改。

⑤　“石”，原誤作“時”，據《文淵閣書目》卷九、《千頃堂書目》卷二十九改。

⑥　“壬”、“至”，原分別誤作“仁”、“壬”，據《文淵閣書目》卷九、《四庫全書總目》卷一百六十七改。

宋景濂遺文集①

吳萊　淵穎文集

黃文獻公文集

宋景濂文粹

宋景濂　潛溪集

宋景濂　潛溪續集

劉伯温　覆瓿集

李延興　乙山文集

答禄與權文集

鄭氏三先生文集

吳存　樂庵遺稿

吳氏天爵堂類稿

龔斆　鵝湖文集

吳海　聞過齋集

何淑　蠖閣文集

絳守居園池記

僧契嵩　鐔津文集②

僧笑隱　蒲室集

僧北㵎文集

僧雲屋　谷響集

僧克新　雪廬稿

僧雲麓文集

錢塘先賢傳集③

---

①② “集”，《文淵閣書目》卷九無。

③　“集”，《文淵閣書目》卷九作“贊”。

趙景輝　散學齋文

諸賢贊頌論疏輯①

袁柳莊集

---

① “輯”，《文淵閣書目》卷九無。

三

詩詞

歷代千家詩選
古今詩選
萬寶詩山
樂府詩集
選類古詩
詩林廣記
古樂府集
樂府解題
選詩演義
選詩補注
三謝詩集
鮑照詩集①
王維詩集
隸古詩集②
陶淵明詩
唐御覽詩
唐人百部稿

---

① "照"，原誤作"昭"，據《文淵閣書目》卷十改。
② "隸"，《文淵閣書目》卷十作"錄"，於義為勝。

駱賓王詩

李白選詩

李太白集

杜浣花集

杜詩學

李翰林集

李詩范選

杜草堂集

杜詩箋

杜詩發微

杜詩集句

杜詩邵庵注

杜詩解

杜詩范選

杜詩補注

杜少陵詩格

杜詩全

杜詩節齋解

樂府初集①

高達夫詩集

劉長卿詩集

乾坤清氣集

岑參詩集

韋蘇州詩集

孟浩然詩集

---

① "初"，《文淵閣書目》卷十作"詩"，於義為勝。

韓昌黎詩集

劉文房　隨州稿

盧綸詩集

陰何詩集

孟東野詩集

皮日休　松陵集

羅隱詩集

李端詩集

陳子昂　宋之問詩集

盧仝詩集①

王建詩集

唐諸賢五言古詩

姚合少監詩集

包佶秘監詩集

張文昌詩集

李嘉祐詩集

王昌齡詩集

温庭筠詩集

李商隱詩集

韓君平詩集

李長吉詩集

李君虞詩集

郎士元詩集

許用晦詩集

張籍詩集

---

① "詩"前,《文淵閣書目》卷十有"月蝕"二字,無"集"字。

鄭谷詩集

李山甫詩集

唐詩鼓吹

河岳英靈集

張祐詩集

李紳　追昔遊詩

白樂天諷諫集

唐詩極玄集

李咸用推官詩

許郢州丁卯集

唐六十家詩鈔

唐衆妙集

唐詩三體

唐百家詩選①

唐詩拾遺

唐詩雋永

唐詩名家

唐千家詩

唐中興間氣集

唐漢上題襟集

唐賢君山詩

唐二相單題詩

唐賢金精山詩草②

唐賢崑山雜詠

---

① "選"字，《文淵閣書目》卷十無。
② "草"字，《文淵閣書目》卷十無。

唐賢岳陽樓詩

唐詩選

鮑溶詩集

唐宋詩翼

唐賢永嘉雜詠

唐音

許渾詩集

唐宋百衲

唐宋名賢詩集①

宋蓮社詩盟

章泉趙先生詩集

宋蘇東坡詩集

宋麗澤詩集

東坡和陶詩話

東坡詩王狀元分類

東坡古詩

蘇潁濱詩集

東坡詩須齋批點

宋朝詩選

王荆公詩集

黃山谷詩集

黃山谷詩外集

黃山谷編年詩集

劉後村詩集

黃山谷先生集

---

① “集”字，《文淵閣書目》卷十作“準”。

梅宛陵羣英集

梅宛陵詩集

朱文公詩集

朱文公感興詩

梅直講詩集

蔡九峰詩集

蘇洞　泠然齋集①

伊邵合集

吕東萊詩集

寇忠愍公　巴東集②

伊川擊壤集

許涉齋詩集

李照　西漢史詠

章簡公詩集

洪炎　西渡集

李壹子　月溪集③

曾文清詩集④

李松庵詩集⑤

高似孫　煙雨詩草⑥

朱韋齋集

---

① “洞”、“泠”，原分别誤作“洞”、“冷”，據《文淵閣書目》卷十、《四庫全書總目》卷
一百六十三改。

② “公”字原脱，據《文淵閣書目》卷十補。

③ “壹”、“集”，《文淵閣書目》卷十分别作“宜”、“詩”。

④ “文”，原誤作“子”，據《文淵閣書目》卷十、《直齋書録解題》卷二十“曾文清集”
條改。

⑤ “松”，《文淵閣書目》卷十作“崧”。

⑥ “草”字，《文淵閣書目》卷十無。

潘逍遥詩集

陳蒙隱詩集

卓山詩集

張紫微集

戴石屏詩集

陳簡齋詩集

四靈詩

沈虞卿　野堂集

元公玉堂詩集

章甫　自鳴集

姜特立　梅山稿①

吳藏海居士集②

謝溪堂詩集

張約齋南湖集

王同　祖學詩稿

蒲心泉詩稿

楊雲鵬　陶然集

姚孳　桃花源記③

楊信祖詩稿

潘紫霞　蘇臺集④

陳晏窩　梅花集句⑤

---

①　“特”，原誤作“時”，據《文淵閣書目》卷十、《四庫全書總目》卷一百六十一“梅山續稿”條改。

②　“藏海”，原誤作“海藏”，據《文淵閣書目》卷十、《四庫全書總目》卷一百五十七乙正。

③　“桃花”，原誤作“姚心”，據《文淵閣書目》卷十、《四庫全書總目》卷一百九十一改。

④　“霞”、“集”，《文淵閣書目》卷十分別作“巖”、“稿”。

⑤　“梅”字原脱，據《文淵閣書目》卷十補。

晁次膺集①

張敬齋　言志録

謝德輿　集釣臺詩

阮户部集②

洪适　天台石橋詩選

項平甫　梅稿

陳后山詩稿

趙宋英　氣假推蒙詩③

項安世悔稿

劉順庵詩集④

王甫方　新集釣臺集

趙違庵　古括篇⑤

張子野詩集⑥

李商老　日涉園詩稿⑦

謝幼槃　竹友集⑧

武夷詩集

劉克莊　南岳集⑨

徐玉臺　玉雪詩集⑩

---

① “膺”，原誤作“應”，據《文淵閣書目》卷十、《直齋書録解題》卷二十一“閒適集”條改。

② “集”，《文淵閣書目》卷十作“詩”。

③ “假”，《文淵閣書目》卷十作“候”。

④ “順”，《文淵閣書目》卷十作“頤”。

⑤ “違”，《文淵閣書目》卷十作“常”。

⑥ “詩”，《文淵閣書目》卷十無。

⑦ “日”，原誤作“自”，據《文淵閣書目》卷十、《四庫全書總目》卷一百五十五“日涉園集”條改。

⑧ “集”，《文淵閣書目》卷十作“詩”。

⑨ “集”，《文淵閣書目》卷十作“稿”。

⑩ “玉”，《文淵閣書目》卷十作“月”。

洪芻　老圃集

慶湖賀遺老詩編①

方是閑居士集

李希聲詩集

劉莘老　聲畫集②

皇宋百家詩選

方泉先生詩集

具茨先生詩集③

宋諸賢絕句詩

益齋讀易詩

陸放翁　劍南稿

陸放翁　劍南續稿

陸放翁詩集

宋　中興江湖集

易幼學　松菊寓言

沈栀林集

宋中興吟鑑

宋岳忠武王廟詩集

楊慈湖中稿④

宋中州元氣集⑤

宋季忠臣事實詩⑥

---

① “詩編”，《文淵閣書目》卷十作“集”。

② “莘”，原誤作“莘”，據《文淵閣書目》卷十、《四庫全書總目》卷一百八十七改。

③ “具”，原誤作“且”，據《文淵閣書目》卷十、《四庫全書總目》卷一百七十二“具茨集”條改。

④ “中”，《文淵閣書目》卷十作“甲”，於義為勝。

⑤ “州”字原脱，據《文淵閣書目》卷十補。

⑥ “季”，原誤作“孝”，據《文淵閣書目》卷十改。

會稽掇英集

宋文天祥詩集

蔡宗伯　少陵詩正異

西崑酬唱

文山吟嘯集

廬山雜著

詩淵

郡齋酬唱①

京口詩集

簡東山集②

林無思居士詩集

元音

麗澤詩集

詩人玉屑

蘿襟稿

元風雅補遺

皇元風雅

元上京紀行詩

金遲心　思雨軒稿③

名賢詩集

庸齋紫霞洲詩稿

袁通父　静春堂詩集

道園遺稿

陳剛中　安南録

長留天地間集①

虞邵庵詩集

陳剛中　出使詩

汪氏鳳池吟稿

劉文貞公集

静修先生詩集

張思廉　玉笥集

許文懿　古詩集

鶴年先生詩集

鄧大隱居士詩集②

芝亭永言集③

吕濬　金臺稿

王漢章　輞川集④

郝經先生詩集

陳自堂存稿

董德明　廬山集

元耶律丞相　雙溪集

楊仲弘詩集

范德機詩稿

華趙二先生　南征録

揭曼碩詩集⑤

---

①　“留”，原誤作“笛”，據《文淵閣書目》卷十、《千頃堂書目》卷十七改。

②　“大”，原誤作“天”，據《文淵閣書目》卷十、《千頃堂書目》卷二十九改。

③　“亭”，原誤作“田”，據《文淵閣書目》卷十、《四庫全書總目》卷一百六十七“道園學古録”條改。

④　“章”，原誤作“川”，據《文淵閣書目》卷十、《千頃堂書目》卷二十九改。

⑤　“揭”，原誤作“楊”，據《文淵閣書目》卷十、《四庫全書總目》卷一百七十四“揭曼碩遺文”條改。

党學士詩集

楊廉夫集

顧禄詩集

元中州集

滕東庵詩集

薩天錫詩集

遺山詩

回文詩類

滕元秀詩稿

傅與礪詩集①

陳愛山詩稿

宋子虛　哼噎集

趙子昂詩集

杜東洲吟稿

桐鄉居士徐綱集

玩齋吟稿

玩齋先生集

王逢　梧溪集②

寓庵詩稿

寓齋先生詩集

許圭塘倡和集

徐積齋集

孤山晚稿

陳秋巖詩集

朱灊山詩集③

---

① "與"，原誤作"占"，據《文淵閣書目》卷十、《四庫全書總目》卷一百六十七改。

② "逢"後，原衍一"士"字，據《四庫全書總目》卷一百六十八删。

③ "灊"，原誤作"鷟"，據《文淵閣書目》卷十、《四庫全書總目》卷一百五十七改。

馬需庵集①

吴仲孚詩集

周　此山詩稿

小山文集②

傅西巖吟稿

漢泉曹公詩稿

范石湖　三英雜吟

鄭㭧庵類稿

鄭氏麟溪集

珠林集

周賀詩集

蒲順齋叢稿

張孟循詩集

綠軒集

澹遊集

程以文詩集

吾子行詩集

白湛淵詩集

剡源集

陳郁　藏一詩集

黃仲寶詩集

張仲實詩集

礧空集③

朱慶元詩集

---

① “需”，原誤作“雪”，據《文淵閣書目》卷十、《千頃堂書目》卷二十九改。

② “文”，原誤作“大”，據《文淵閣書目》卷十改。

③ “礧空集”，原誤作“礧石空”，據《文淵閣書目》卷十改。

黄叔美詩集

陳子尚詩集

吳維清言①

嵩安詩集

汪水雲詩集②

渠隆吉集

劉羽庭詩集

韓澗泉詩集

句曲外史集

金元素　南遊寓興③

張孟兼詩集

瀘濱性情集

張中達　江湖吟嘯集④

劉容窗太史集

中原星鳳集

王子與　徵士詩集⑤

孟伯真　漫遊集

中流一壺詩

仇仁父　金淵集

吳陽羍　迂闊集⑥

王緣　盤隱詩草⑦

---

①　“吳”、“言”，《文淵閣書目》卷十分別作“吕”、“集”。

②　“水雲”，原作“雲水”，據《文淵閣書目》卷十、《四庫全書總目》卷一百六十五乙正。

③　“寓”後，原衍一“行”字，據《文淵閣書目》卷十删。

④　“中”，《文淵閣書目》卷十作“仲”。

⑤　“與”，原誤作“興”，據《文淵閣書目》卷十、《千頃堂書目》卷十七改。另，“詩”字，二書無。

⑥　“陽”，《文淵閣書目》卷十作“湯”。“闊”，原誤作“潤”，據改。

⑦　“詩草”，《文淵閣書目》卷十作“集”。

連伯正　丙子稿

韓性　五雲漫稿

鄭國遺風稿

洪厓　笑拍亭集

關隴行稿

方莆陽小集①

王子讓　滄海遺珠稿

巖滄浪集

山翁自在吟

耶律梅花千詠詩

張仲舉　蛻餘集

張仲舉詩集

丁景伯　竹林吟稿②

王貞白　靈溪集③

許梅屋詩稿

晏璧　七十二泉詩稿

趙端行　天分吟④

陳澤雲野趣

郭居敬　香詩集⑤

蔡文瑞　樗邊集⑥

臨溪居士詩集

高九萬　菊澗詩稿⑦

---

① "莆"，《文淵閣書目》卷十作"蒲"。
② "林"，《文淵閣書目》卷十作"外"。
③ "靈"，原誤作"雲"，據《文淵閣書目》卷十、《郡齋讀書志》卷五下改。
④ "端"，《文淵閣書目》卷十作"瑞"。
⑤ "香詩集"，《文淵閣書目》卷十"百香詩"。
⑥ "樗"，《文淵閣書目》卷十作"梅"。
⑦ "菊澗詩稿"，《文淵閣書目》卷十作"菊磵集"。

丁仲容　檜亭詩稿①

廉侯甘棠集

陸厚　幼壯俚語

洪潛夫　杏庭稿

西湖竹枝集

陳允平　蜩鳴集

宋太史　蘿山吟②

鐵崖先生集

劉孟藻　自怡集

周公謹　蠟屐集

汪濟　飯牛稿

李宗表　草閣集

顧梅山集

遺山樂府

大明詩選

危太僕詩集③

張子淵詩集

西庵樂府

陳衆仲詩集

劉職方詩集

天谷吟集

王敏　龍門稿

金雪厓先生集

周巽泉　性情集

---

①　"詩稿",《文淵閣書目》卷十作"集"。

②　"蘿"原誤作"夢",據《文淵閣書目》卷十、《千頃堂書目》卷十七改。

③　"僕",《文淵閣書目》卷十作"樸"。

藍靜之詩集

石光霽　樗散集

淮海居士長短句

張山屏詩集①

高季迪　缶鳴集

邵氏中中子詩集

桂隱遺稿

張青山居士集

龔資遠　泮宮稿

李照　夢墨稿②

童中州和陶詩

何孟舒詠物詩

江陵百詠詩

王達善　梅花詩

元先生長短句

稼軒長短句

康和齋詩集

片雲山人小稿

秋聲書屋詩

江雨軒詩集

風雅翼

劉彥昺詩集

劉尚賓集

---

① "山",《文淵閣書目》卷十作"翠"。

② "李照",上海古籍出版社 1983 年版《列朝詩集小傳》甲集作"時銘"。時銘,字季照,以字行。

陸誠庵詩集

百題詩

王友行詩集

韓山人詩集

石雲瘦稿①

吳吾吾類稿

張真子水雲集

洞天留題詩

吳先生外集

張伯雨　師友集

竹林清風集

吟嘯續集

李嚴詩辯②

唐詩品

南北朝詩話

顏範詩評③

童蒙李訓④

因話録

吳環溪詩話

鍾氏詩品

温公詩話

後山詩話

詩話總龜

---

① “石”,初編本作“白”,於義為勝。

② “嚴”,《文淵閣書目》卷十作“巖”。

③ “範”,《文淵閣書目》卷十作“鮑”。

④ “李”,《文淵閣書目》卷十作“詩”。

全唐詩話

六一詩話

竹莊詩話

詩話集錄

彥周詩話

碧溪詩話

清林詩話

貢父詩話

唐溪詩話

容齋詩話

竹坡詩話

珊瑚詩話

珊瑚鉤詩話

葉先生詩話

北山詩話

趙威伯詩話

劉先生詩話

東萊紫微詩話

續詩話

復齋聞紀

瑤池集

崴寒堂詩話

詩律武庫①

洞霄詩集

霞外詩編

---

① “律”，原誤作“歷”，據《文淵閣書目》卷十、《四庫全書總目》卷一百三十七改。

邱氏雙真詩集

花蕊夫人詩集

王道士江海吟稿

蕙畝拾美集①

朱淑真詩集

黄山岳　西川貶録

唐宋高僧詩

僧蘭雪軒集

僧盤谷遊山集

宋僧瀂山詩集

僧竹窗小稿

非空上人集

唐高僧詩

僧谷響集

僧雪窗集

僧蒲石集②

僧魯山集

僧全室稿

支離子詩集

東嘉韞玉傳奇

泖季潭集

樂府廣題

袁尚志古樂府

樂府新聲

---

① "美"，《文淵閣書目》卷十作"英"，於義為勝。

② "石"，《文淵閣書目》卷十作"衣"。

靜軒樂府

柳公樂章

續東几詩餘

草堂詩餘

須溪詞集

澗泉詩餘

樂府品題

詞林藻鑑

梅苑詞稿①

諸家詩詞

辛稼軒詞集

滕玉霄詞集

竇氏聯珠

琴趣外篇

陽春白雪

戲曲大全

風月錦囊

笑苑千金

選唱賺詞

新詞小說

清江漁譜

十英曲會

綠窗談藪

煙粉靈怪

簡齋詞集

---

① “苑”，原誤作“宛”，據《文淵閣書目》卷十改。

諸家燕宴詞

白石道人歌曲編

煙波漁隱詞

名賢珠玉集

類書

冊府元龜

太平御覽

文獻通考

白孔六帖

項氏家説

畫一元龜

白氏六帖

楊氏六帖

黃氏日鈔

藝文類聚

元朝經世大典

通志

習學記言

羣書一覽

帝王經世圖譜①

玉海

羣書備覽

---

①　“經世圖譜”，原誤作“紀世圖說”，據《文淵閣書目》卷十一、《四庫全書總目》卷一百三十五改。

萬英會元

通志略

類要

致知編

建章錄

太平總類

明善編

數類

讀書志

自警編

書敘指南

杜氏通典

金玉新書

宋朝類苑

事類合璧

書林事類

宋朝類書

修文御覽

兼金合璧

事文類聚

晏元獻公類要

集言

北堂書鈔

事類備要

趙明誠　金石錄

通典

集事淵海

山堂考索

萬卷菁華

羣書備類

羣書類句

事文小編

羣書備檢

羣書引論

秘府書林

聲律會元

敏求機要

故事備要

分門故事

分門字苑

困學紀聞

故事金璧①

簡明故事

詞學題苑

六藝綱目

文史括要

分聲類説

格物類編

經學會元

類書

解題

朝野類要

---

① "金",《文淵閣書目》卷十一作"合",於義為勝。

張光祖　言行龜鑑

翰苑新書

翰墨新書

劉抑之　經學足用

八詩六帖

翰墨全書

類説

考古編

學林

班固　白虎通

萬花谷

玉府

考古集

禁扁①

房融　好還集

百衲錦

鄭師中　獨善兼善録②

廣益集③

聚寶論

善俗十書

劉清之　戒子通録

經史百家制度

小學紺珠

---

① “扁”，原誤作“苑”，據《文淵閣書目》卷十一、《四庫全書總目》卷六十八改。

② “録”，《文淵閣書目》卷十一作“書”。

③ “廣益集”，《文淵閣書目》卷十一與下條“聚寶論”合為一條。

博古圖

大事記通釋

海錄碎事

瑣碎錄

考古圖

記纂淵海

羣書備數

唐語林

儒林備要①

大字碎金②

內翰談苑

紺珠集

世説新語

通用碎金

鄭氏談綺

續世説

記室新書③

武庫琅函

婚姻備用

故事金璧

類林雜説

閨閣類編

志書分記

---

① "林"，《文淵閣書目》卷十一作"家"。

② "字"，《文淵閣書目》卷十一作"學"

③ "室"原誤作"堂"，據《文淵閣書目》卷十一、《四庫全書總目》卷一百三十七改。

事林廣記

六藝類要

韻語陽秋

詞學題海

書林廣記

文史聯珠

崇文總目

居家必用

太平廣記

萬啓類編

藝文志考

詩學大成

啓劄青錢

經子法語

全芳備祖①

詩學集成

啓劄淵海

啓劄天機錦

史總類

四庫闕書録②

珍珠囊

啓劄雲錦囊

夷堅志

---

① "芳"、"祖"，原分別誤作"方"、"組"，據《文淵閣書目》卷十一、《四庫全書總目》卷一百三十五改。

② "書"，原誤作"青"，據《文淵閣書目》卷十一改。

吳宏　典刑録①

忘筌書

詩苑叢珠②

尺牘法言

中州啓劄

四六翰式③

書簡捷徑④

尺牘筌蹄

仕學規範

四六錦繡

李梅亭四六集

李端叔三昧集

廣韻小説蒙求⑤

李橘山四六集

幼學日誦格言

李翰林蒙求⑥

名物蒙求

三字蒙求

賦學訓蒙

五典毓蒙

歷代蒙求

正蒙四書

對屬指蒙

---

① “刑”，原誤作“型”，據《文淵閣書目》卷十一、《郡齋讀書志》卷五上改。

② “叢”，原誤作“業”，據《文淵閣書目》卷十一改。

③ “翰”，《文淵閣書目》卷十一作“矜”。

④ “扌”，《文淵閣書目》卷十一作“手”。

⑤ “廣”，《文淵閣書目》卷十一作“廣”。

⑥ “李”前，《文淵閣書目》卷十一有“和”字。

訓蒙捷法

啓蒙宏綱

百川學海

古今類事

事類旁通

幼學須知

集英四六

類對事苑

六藝珍駕

事偶韻語

故事題辭

對類賽大成①

小四書

聲律發蒙

對相識字②

宋舒津　蒙求

博聞録

釋文三注

敘古千文

韻書

集古韻

鐘鼎篆韻

---

① 　此條《文淵閣書目》卷十一作"詩對賽大成"。

② 　"識"，原誤作"織"，據《文淵閣書目》卷十一改。

漢隸分韻

復古編

漢隸家原

隸疑韻寶

隸韻

隸釋

隸分辨

古文韻選

説文字原

字通

隸續

六書故①

許氏説文

説文續釋

西漢字統②

班馬字韻

六書正譌

六書本義③

西漢字類

班馬字類

六書類釋

書學正韻

六書統

---

① "故",原誤作"攻",據《文淵閣書目》卷十二、《四庫全書總目》卷四十一改。
② "西",《文淵閣書目》卷十二作"兩"。下"西漢字類"條同。
③ "本",原誤作"十",據《文淵閣書目》卷十二、《四庫全書總目》卷四十一改。

洪武正韻

廣韻

韻會定正字切

禮部韻

韻會定正

玉篇

添補改正韻書

禮部韻略

韻府羣玉

五音集韻

五音類聚

禮部玉篇

韻會舉要

韻府輯略

五音韻譜

五音篇要①

紫雲韻

押韻釋疑

丁度　集韻

字原韻略

精明韻

押韻集成

集韻淵藪

聲音文字通

回溪史韻

———————

①　"要"，《文淵閣書目》卷二十作"海"。

文選韻粹

書同文

廣干禄字書①

字瀁博義

詩宗集韻

切韻法

類篇

總韻

押韻淵海

草書韻總

韻補

詩韻

字鑑

正字韻綱

正始之音

韻圖

韻目

韻字

瓊林雅韻

切韻指掌圖②

草韻

韻寶

韻譜

十書直言

---

① “干禄”，原誤作“千録”，據《文淵閣书目》卷十二、《直齋書録解題》卷三改。

② “掌”，原誤作“事”，據《文淵閣書目》卷十二、《四庫全書總目》卷四十二改。

五音切韻法

大定重校類篇

蒙古書韻

草書集韻

切音佩觿錄①

草書韻略

高宗草韻

切韻心鑑

四聲等子

禮部韻切

切韻指南

五音篇海

姓氏

古今姓氏辨證

古今同姓名錄

氏族大全

氏族類稿

元和姓纂

孔氏族譜

姓字瑤華②

姓氏急就章

世説敘録

---

① "音"，《文淵閣書目》卷十二作"字"。

② "字"，《方淵閣書目》卷十二作"氏"。

章氏家乘

古今同姓名續録

安成周氏家譜

董氏家傳

氏族言行類稿

混一姓氏志

千家姓

萬姓統宗

萬姓統譜

姓氏源流

法帖

晉唐以來君臣名人墨蹟一部三十册

石刻周易

石刻毛詩

石刻真篆禮記

石刻尚書

石刻周禮

石刻春秋經傳

石刻禮記

石刻左氏傳

石刻論語

石鼓文

石刻儀禮

石刻公羊傳

石刻孟子

石鼓音

石刻穀梁傳

石刻孝經

石刻考異①

鐘鼎帖

石鼓文音訓

石刻爾雅

鐘鼎大篆

篆謙卦

鐘鼎彝器款識

篆書稽古編②

篆書大風歌

篆字泰山秦刻

篆吳紀功碑

華青令篆書③

篆法石訓④

篆書偏傍

篆繹山斷碑

籀史

篆書千字⑤

集古篆字

篆書德政頌

---

① “考異”,《文淵閣書目》卷十三作“異考”。

② “編”,《文淵閣書目》卷十三作“篇”。

③ “青”,《文淵閣書目》卷十三作“陰”,於義為勝。

④ “石”,《文淵閣書目》卷十三作“釋”,於義為勝。

⑤ “千”,《文淵閣書目》卷十三作“文”。

篆隸

篆王清獻碑陰記

篆李白酒樓記

篆書千文

隸書大智禪師碑

篆隸真草千文

賜書篆帖

隸字孝經

篆書二十體

篆書春申君廟碑①

古隸法帖

隸書受禪表

隸書漢唐邑令碑

隸書鍾繇上尊號帖

歷代帝王帖

歷代法帖

隸書帝王名臣法帖②

隸書華岳帖③

梁鵠隸書

隸書淳于長君碑④

歷代名臣法帖

真草法帖

---

① "篆"，《文淵閣書目》卷十三作"隸"。

② "隸書"，《文淵閣書目》卷十三作"歷代"

③ "帖"，《文淵閣書目》卷十三作"碑"。

④ "淳"字原脱，"于"原作"於"，據《文淵閣書目》卷十三、《明史藝文志·補編·附編》補改。

隸書房公韓公碑

歷代名賢法帖

秘閣續帖

歷代帝王名臣法帖釋文

淳熙秘閣續帖[①]

臨江文獻堂帖并釋文

太清樓法帖釋文

歷代款識法帖

歷代行書法帖

太清樓法帖

歷代真草法帖

曹氏星鳳樓帖

懷素藏真帖

淳化帖

汝帖

篆韻

唐紀功頌

瘞鶴銘

古法帖

字帖

晉帖

唐宋御書

三段石

宋太宗御書

宋徽宗草書千文

---

①　"帖"前,《文淵閣書目》卷十三有"法"字。

新莽旌銘①

宋高宗御劄

古今能書優劣評②

玄秘塔銘③

甲秀堂帖

懷素千文

寶晉帖

羲之筆陣圖④

張旭法帖

晉宋法帖

羲之帖

歐陽通法帖

聖教序

蘭亭續帖

羲之法帖

二王法帖

蘭亭帖

蘭亭行書

獻之法帖

東方朔贊

蘭亭考

曹娥碑

皇甫君碑

---

① "旌",《文淵閣書目》卷十三作"權"。

② "評",原誤作"詳",據《文淵閣書目》卷十三改。

③ "銘",《文淵閣書目》卷十三作"碑"。

④ "圖",原誤作"國",据《文淵閣書目》卷十三改。

歐陽詢醴泉銘

十七帖

廟堂碑

虞世南書

顔魯公干禄字書①

顔魯公帖

智永千文

李邕碑帖

玄秘塔碑

草書千文

岳麓寺碑

舊館壇碑

雲麾將軍碑

南岳司天王碑

唐徐府君碑

許真君誡訓

南岳魏夫人碑

唐朱府君碑

唐茅山玄静先生碑

元崇正真人杜君碑

茅山崇禧萬壽宮碑

張即之行書蘭亭

李府君神道碑

張純王神道碑②

---

① "書"字原脱，據《文淵閣書目》卷十三補。
② "純"，《文淵閣書目》卷十三作"循"。

紫陽觀碑

王清獻神道碑

韓國公北岳碑

秘閣法帖

九成宮記

隆闡大師碑銘

中山王碑砧

顏公廟碑

禪師十玄譚帖

赤壁賦墨蹟

洛神賦

海市詩帖

夏承碑

東坡松醪賦

出師表

多寶佛塔

急就篇

東坡真行書

柳帖

七觀帖

諸家碑帖

鮮于太常墨蹟

書範

井橑碑①

石刻草書②

---

① "橑",《文淵閣書目》卷十三作"樁"。

② "石",原誤作"百",據《文淵閣書目》卷十三改。

黄華老人草書

山谷諸帖

永帝真跡

過庭書譜

法帖要録①

山谷法帖

宣和書譜

法帖譜系②

法帖刊誤

知足翁題詠

宋名賢墨蹟

唐宋名臣真跡

巉巉子山書

詹孟舉千文

大觀法帖釋文

陰符經

續書譜③

法書贊

集古録

學古編

愛蓮帖

墨池編

法書考

覽古編

---

①　"帖"，《文淵閣書目》卷十三作"書"。

②　"系"，原誤作"義"，據《文淵閣書目》卷十三、《四庫全書總目》卷八十六改。

③　"續"，原誤作"讀"，據《文淵閣書目》卷十三、《四庫全書總目》卷一百十二改。

金壺記

集古目録

文房圖贊

穎峰遺墨

孫氏字説①

趙魏公書

文房四譜

神樂觀碑

翰林要訣

題署法書記

經進法書考

武岡法帖釋文

紫芝生千文

古今法書苑

蒙古應思録②

東觀餘論

書史會要

字帖緒餘

帖韻一聲

譜家雜説③

古文草書

許氏説文

書苑精華

慶豐碑④

────────────

① "字",原誤作"自",據《文淵閣書目》卷十三改。
② "思",原誤作"恩",據《文淵閣書目》卷十三改。
③ "家",《文淵閣書目》卷十三作"系"。
④ "碑"前,《文淵閣書目》卷十三有一"牖"字。

存古正字

書字經

書學纂要

絳帖平①

稽古編

泉帖

鼎帖

藝譜

君臣圖像

聖賢圖像

秘閣書畫目

名畫評

古今名畫録

畫斷

歷代名畫記

圖畫見聞誌②

畫壽星説③

圖繪寶鑑

蘭亭觴咏圖④

圖寶公像譜⑤

① “平”，原誤作“評”，據《文淵閣書目》卷十三、《四庫全書總目》卷八十六改。

② “圖”，原誤作“續”，據《文淵閣書目》卷十三、《四庫全書總目》卷一百十二改。

③ 此條《文淵閣書目》卷十三作“壽星”。

④ “圖”，原誤作“説”，據《文淵閣書目》卷十三改。

⑤ 此條《文淵閣書目》卷十三作“寶公像”。

龍虎山圖①

玄元像傳

宋七朝畫史②

六駿圖譜③

唐名畫録

林泉高致

宣和畫譜

米家畫史

公私畫譜

續宋畫評

南宮畫史

竹譜詳録

山家清供

竹譜

菊譜

牡丹譜

荔枝譜

橘譜④

茶譜

梅譜

蘭譜

松石格

---

① “山”，原誤作“小”，據《文淵閣書目》卷十三改。

② “史”字原脱，據《文淵閣書目》卷十三補。

③ “六”前，原衍一“史”字，當繫於上條“宋七朝畫史”下，故删。另，《文淵閣書目》卷十三此條作“六駿圖”。

④ “譜”，《文淵閣書目》卷十三作“録”。下“茶譜”條同。

草木疏

香譜

酒經

酒譜

琴譜

茶具圖

米芾　硯史

燕樂原辨

食譜①

琴論

霞外音

雲林石譜

幽人對竹引②

宣和北苑貢茶録

鼎硯譜

琴史

振古琴苑

太古遺音

精微論③

捶丸集④

正音

琴苑須知

琴律發微

---

①　"譜"，《文淵閣書目》卷十三作"經"。
②　"引"字原脱，據《文淵閣書目》卷十三補。
③　"精微"前，《文淵閣書目》卷十三有"太古遺音"四字。
④　"捶丸"，原誤作"挱九"，據《文淵閣書目》卷十三、《明史藝文志·補編·附編》改。

太古正音

大雅遺音①

曲譜

琴聲韻圖

太古徽音

琴苑雜鈔

棊書

投壺考正

紹興内府琴譜

飲膳正要

棊經清樂集

政書

徐氏　漢官考

唐官品纂要

漢官考

唐宋官制

宋官制舊典

唐六典

漢官儀

宋職官分記②

宋官制新典

元選格

宋祖宗官制③

---

① "遺"，原誤作"運"，據《文淵閣書目》卷十三改。

② "官"字原脱，據《文淵閣書目》卷十四補。

③ "官"，原誤作"唐"，據《文淵閣書目》卷十四改。

宋麟臺故事①

蔡質　漢官典儀

宋三省總括

元太常沿革

慶元條法事類

司馬温公官制遺稿

清明録

元風憲宏綱

蘇子啓　集百官龜鑑②

元典章

元成憲綱要

開禧吏部七司法

劉漫塘　荒政續編

元通制

元省部政典舉要

陳古靈　涖民提綱

立教録

宋六曹法

景定條法總類

張養浩　廟堂忠告

吏學指南

鄭至道　諭俗編③

張養浩　牧民忠告

陳古靈　州縣提綱

---

①　"臺"，原誤作"屋"，據《文淵閣書目》卷十四改。

②　"百"，《文淵閣書目》卷十四作"有"。

③　"至"、"諭"，原分別誤作"王"、"論"，據《文淵閣書目》卷十四、《明史藝文志·補編·附編》改。

李元弼　作邑自箴①

张養浩　風憲忠告

蒲登辰　救荒續録②

秦輔之　資政格言

趙秉文　百里指南③

爲政楷範

彭仁仲　政刑類要

官民要覽續蘽④

爲政誠銘

元諭民政要⑤

爲政準則

憲臺通紀

西臺對越集

爲政通論

職林

刑書

唐律

續律

唐律疏義⑥

---

①　"元"、"箴"，原分別誤作"光"、"藏"，據《文淵閣書目》卷十四、《直齋書録解題》卷六改。

②　"蒲登辰"、"續録"，原分別誤作"庚辰"、"繼録"，據《文淵閣書目》卷十四、《千頃堂書目》卷九改。

③　"文"字原脱，據《文淵閣書目》卷十四補。

④　"蘽"，《文淵閣書目》卷十四作"集"。

⑤　"諭"，原誤作"論"，據《文淵閣書目》卷十四、《明史藝文志·補編·附編》改。

⑥　"義"字原脱，據《文淵閣書目》卷十四、《四庫全書總目》卷八十二補。

唐律明法類説

唐律刑統賦注釋①

唐刑統②

泰和律令格式

唐律某盤抹子

唐律纂例

宋詳定刑統③

刑統賦

宋刑統

永徽法經

宋申明疏律④

平冤録

宋刑律

元刑統一覽⑤

泰和新定律⑥

刑統賦注精要

元會要格例

元折獄龜鑑

元至正條格⑦

---

①　“統”，原誤作“疏”，據《文淵閣書目》卷十四改。另，“釋”，《文淵閣書目》作“解”。

②　“統”，原誤作“疏”，據《文淵閣書目》卷十四改。下“刑統賦”、“宋刑統”、“刑統賦注精要”、“刑統律文”諸條同。

③　“詳”、“統”，原分別誤作“注”、“疏”，據《文淵閣書目》卷十四、《明史藝文志·補編·附編》改。

④　“疏律”，《文淵閣書目》卷十四作“刑統”。

⑤　“統”，原誤作“流”，據《文淵書目》卷十四、《明史藝文志·補編·附編》改。

⑥　“律”後，《文淵閣書目》卷十四有“義”字。

⑦　“條”原誤作“修”，據《文淵閣書目》卷十四、《四庫全書總目》卷八十四改。

官民準用①

百家備覽

洗冤録

折獄比事

刑統律文

棠陰比事②

無冤録

兵法

武經七書

武經七書講義

黄石公素書

武經總要

李靖　四門經歷

李衛公武略

孫子

孫子衍義

孫子校注③

李衛公兵法

吳子

孫子口義

孫子比事

李衛公兵機

---

① “用”，原誤作“則”，據《文淵閣書目》卷十四、《四庫全書總目》卷八十四改。

② “棠”，原誤作“堂”，據《文淵閣書目》卷十四、《四庫全書總目》卷一百一改。

③ “校”，《文淵閣書目》卷十四作“杜”。

八陣圖要略①

武侯新書

玄機秘旨

武侯集

武侯將苑

武侯遺文

武學發明

兵法十論

風后握奇經

李衛公元戎必勝録

兵機備要

黄石公心鏡

黄石公占變三略

百戰奇法

奇法陣圖

太白陽經

行軍須知

武學要覽

軍戎秘術

太白陰經

行軍秘實

武侯策

少室書

北征録

武侯選將八門書

---

① “略”字原脱，據《文淵閣書目》卷十四補。

將法書

長短經

虎鈐經

李衛公望江南

兵機制敵①

玉帳玄樞

歷代將書

布陣圖

治兵會要

集要兵門②

百將論斷

百將傳

將鑑節要

將鑑疏略

呂望秘書

八門遁甲

將鑑博義

行軍雜占

奇門遁甲

遁甲符應

南渡十將傳

新編歷代將傳

行兵擇日書

南渡女將軍記

---

①　“兵”，《文淵閣書目》卷十四作“神”。

②　“門”，《文淵閣書目》卷十四作“書”，於義爲勝。

黃石公進兵圖

禽星選擇書

風角集

奇門纂要

六甲天書

太上六甲書

拒守篇

遁甲星鈴

六甲兵機

真武三陣圖

禽星擇日書

兵家占候

九天玄女秘文

玉函玄應檢

天髓靈文

兵要望江南詞

韜鈐精要

軍職模範[①]

算法

元寶鈔通考節要

夏侯陽算經

李冶　測圓海鏡[②]

---

①　“模範”，原作“範模”，據《文淵閣書目》卷十四乙正。

②　“冶”、“圓”，原分別誤作“德”、“圖”，據《文淵閣書目》卷十四、《四庫全書總目》卷一百七改。

算法百顆珠^①

詳明算法

通原算法

五曹算經

算學源流

九章算經

五經算術

孫子算經

楊輝九章

數學九章

周髀算經

通變算寶

捷用算法

算法補缺

妙録算經^②

摘奇算法

算法透簾

海島算經

錢譜

錢誌

算法全能集

益古衍段

錢式

泉志

---

① "顆",原誤作"課",據《文淵閣書目》卷十四改。

② 此條,《文淵閣書目》卷十四作"抄録算法"。

陰陽書

天元玉曆賦

天文總要

步天歌

天文星象

天文歷代占

六經天文編[①]

天文書

三垣星書

漢晉天文志

天文經星

觀象玩占

乾象賦

高遠坐致

玉曆通政經

天文類書

天鏡書

甘石星經

陰陽秘訣書[②]

考驗星書

四星賦

乾坤總占

---

① "編"字原脱，據《文淵閣書目》卷十五、《四庫全書總目》卷一百六補。
② "書"字，《文淵閣書目》卷十五無。

紫微垣星占

乾象吉凶

通玄經

天文雜占

統元萬分曆①

環極千圖②

玉鏡經

天紀神策

歲實根源録

周天曆數

堯典曆

太虛躔度③

官曆漏刻圖

新儀像法

闇虛志

五緯定躔

年月日通用

革象新書

漏刻圖

曆法新議

銅壺漏箭制度

千圭玉

玉輦經

---

① “統”，原誤作“流”，據《文淵閣書目》卷十五改。
② “千”，《文淵閣書目》卷十五作“宇”，於義爲勝。
③ “虛”，《文淵閣書目》卷十五作“陰”。

陰陽氣運

準齋几漏新式①

遁鈐例

畫一曆

二十四氣論②

測玄圖訣③

涓吉秘要

通天竅

涓吉成書

乾象

日局

涓吉全書

尅擇書

三元節要

選擇星定通考

奇門五總龜

土官涓吉活法④

九宮八卦遁法

八門九星式

地理全書明圖

紫微鸞駕

選擇大全

八門易數

---

① “几”，《文淵閣書目》卷十五作“九”。

② “論”字，《文淵閣書目》卷十五無。

③ 《文淵閣書目》卷十五有“測玄”、“圖訣”二條目。

④ “土”，《文淵閣書目》卷十五作“上”。

萬曆會聞①

選擇心鏡

尅擇一覽

天河運轉②

萬曆大全

諸書雜法

曆日集成

尅擇通書

萬曆錦囊

尅擇選書

曆法統宗

選擇易見

曆法集成

選時玉曆

彈冠必用

選擇諸書

地理新書

選擇元龜

奇儀要覽

地理全書

地理通釋

陰陽正理論

賽成書

地理全書辨方訣例

---

① “聞”，《文淵閣書目》卷十五作“同”。
② “運轉”，《文淵閣書目》卷十五作“轉運”。

地理龍穴圖

選擇書

地理全書洞林照膽

玉曆

地理明真論

地里五星圖

地理大成

相書

地理正義論

地理撥沙經

地理精要

地理切論

郭氏元經

玉髓纂立

塋原總録

地理髓經

郭璞　葬經

玉髓真經

山海秘奥

原陵秘葬經

地理鈔

土牛經

尋龍秘訣

黄石公人宅論①

狐首經

---

① "公"字原脱，據《文淵閣書目》卷十五補。

金鍼集

洞林別訣

相山經

楊公直指①

陰陽總要

選葬總錄

禽鬼經

尋龍入式

安葬備要

山頭年月

小葬袖金訣

地理選擇

人倫廣鑑

金函鈐

月波洞中記

陰陽妙訣

華山秘要

觀妙經

通神鬼眼

五目之書

子平口訣

通變淵源

相鑑類編

五行精紀

子平淵源

---

① "指"後,《文淵閣書目》卷十五有一"論"字。

洞微淵源

通神照膽經

寸金易鑑

五星集要

步天經

三命指迷賦

蘭臺妙選

五星要覽

百中經

玉照定真經

五星秘訣

星命五總龜

星寶

鬼谷子遺文

排星要用

三辰隱辰經①

玉函

星命總括

五星統宗②

三辰通載

七政緒論

五星鈇鉢

虛實五星

八卦飛星

---

① “辰經”，《文淵閣書目》卷十五作“形經”，於義爲勝。

② “統”，原誤作“流”，據《文淵閣書目》卷十五改。

中天八卦

紫微照膽經

洞玄經

變化賦

紫微真數

紫微千金賦

銅板經

消息賦

黃金尺賦

紫微堂星數①

天地一覽

七曜禽經

紫微數

範圍生成數

演禽真經②

演禽定鈐

範圍數

星禽演法

範圍定數

禽演

地理龍穴沙水

範圍樞要

禽書

文公斷易奇書

---

① "微"字，《文淵閣書目》卷十五無。

② "演禽"，《文淵閣書目》卷十五作"禽演"。

範圍索隱

三命正經

大定集成

周易象占

天元總數

洞微玉册

堯天星數①

周易尚占

周易外卦

易課占法

易鑑明斷

璇璣鈴

周易爻占

易影龜鑑

易斷玄機

天玄賦

玄機

周易古占法

易斷奇書

周易秘奧

易占

鬼谷拆字林②

木鐸奇書

羲聖心畫

---

① "天"，原誤作"夫"，據《文淵閣書目》卷十五改。
② "拆"，原誤作"折"，據《文淵閣書目》卷十五改。

心易類占

心易内篇

易占心鏡①

占法玄要②

康節心易

心易發明

易法句玄

卦書雜占

易課

郭璞 洞林

金鑽玉匙

卜筮元龜

心鏡

京房易軌

金鑽玄關

雙林卦影

火珠林雜占

學易淵微③

六觀斷例④

範圍易

康節寓物數

考變占法

太極玄機

---

① “占”，原誤作“古”，據《文淵閣書目》卷十五、《千頃堂書目》卷十三改。
② “玄”，原誤作“立”，據《文淵閣書目》卷十五改。
③ “學易”，《文淵閣書目》卷十五作“易學”。
④ “觀”，《文淵閣書目》卷十五作“親”。

青函經

麻衣四字占

潛虛占書

三要靈經

海底眼

先天觀梅數

走失詳注

六壬歌訣

六壬課

九天玄女黃襀經

六壬心印賦

六壬斷訣

九天玄女六壬課

六壬金口訣

六壬占法

麻衣四言獨步

六壬起課例

壬課軌革式

歷代人臣災異

六壬心照經

壬課鬼心經

九天玄妙課

射覆六壬

四聖神課

龜鑑影

鬼谷指心課

天鏡占書

周公神課

鸞駕時

淳風怪書

金鞭指路

雨暘靈鑑

靈萊經

火輪秘訣

蘭臺玉局

真禽要訣①

解夢書

黃金尺秘②

天罡點時法

回回課書

禽演賦

相子秘訣③

地理一粒粟

神仙斗課

鴉池訣

白殯斗覺書

三元正經

轉神選擇

觀音課

馬合麻課書

---

① "真",《文淵閣書目》卷十五作"直"。
② "秘"後,《文淵閣書目》卷十五有一"占"字。
③ 此條,《文淵閣書目》無,卷十五有一條目爲"相字祕典"。

三元要論
大義昏書①
真君籤
二十八宿直日占
筮書
北京城隍籤

醫書

素問
素問玄機
醫説
素問玄珠
素問靈樞集
劉三點脈訣
岐伯五藏論
素問保命集
王叔和脈訣
濟生拔萃方
聖濟總録
扁鵲脈髓
難經集注
醫經小學
難經本義
醫方大成

————————

① 此條,《文淵閣書目》卷十五作"大議婚書"。

王氏脈經

宣明論方①

素問鈔

難經辨釋

十便良方

葛氏肘後方

玉函經

蘇沈良方

經驗良方

世醫得效方

嚴氏濟生續方

許學士本事方

御藥院方

得生堂經驗方②

黎居士簡易方

續簡易方③

太平和濟方④

仙傳集驗方

是齋百一選方⑤

王氏博濟方

孫氏仁孝方⑥

---

① “明”，原誤作“和”，據《文淵閣書目》卷十五、《千頃堂書目》卷十四改。

② “得”，《文淵閣書目》卷十五作“德”。

③ “簡易”，《文淵閣書目》卷十五作“易簡”。

④ “濟”，《文淵閣書目》卷十五作“劑”。

⑤ “齋”，原誤作“齊”，據《文淵閣書目》卷十五、《直齋書録解題》卷十三改。

⑥ “孝”，《文淵閣書目》卷十五作“存”。

華陀中藏經方①

袖珍方

仁齋直指方

澹寮集驗方

如宜方

易簡方

錢氏補遺方

世傳神效方

指南方

魏氏家藏方

管見良方

潘陽坡　加減方②

呻庵集效方

神異諸方

余居士選奇方

旅舍備急方

活人秘要方③

全生指迷集

野夫多效方④

無求子活人書

廣南攝生論

原證治方

濟急單方

---

①　“陀”，《文淵閣書目》卷十五作“佗”。

②　“潘”，《文淵閣書目》卷十五作“瀋”。

③　“活人”前，原衍一“和”字，據《文淵閣書目》卷十五刪。

④　“效”，原誤作“救”，據《四庫》本《文淵閣書目》卷三改。

儒門事親①

諸方撮要

拾遺妙方

金匱方論

衛生家寶

醫學發明

醫學先知

備急纂要

東垣心要

潔古家珍

心印紺珠

子和心法

玄門內照

丹溪醫論②

巢氏病源

服藥須知

傷寒發明

傷寒撮要

衛生寶鑑

瑞竹堂方

傷寒集義

傷寒捷要

傷寒直格

醫壘元戎

---

① "親"字後，《文淵閣書目》卷十五有"書"字。

② "丹"，原誤作"舟"，據《文淵閣書目》卷十五、《千頃堂書目》卷十四改。

傷寒指掌圖

成無己　傷寒論

傷寒類書

傷寒明理論

張仲景　傷寒論^①

千金方

傷寒立法考

傷寒百問歌

證治準繩

傷寒論

傷寒救俗方

傷寒百證歌

產經

仲景精華鈐

活人書百問

素問運氣論奧

紀玄妙用集

通神明鑑論

婦人大全良方

活人書括

運氣精華

醫門雜記

產寶百問

四時治要

內經運氣

---

① "論"，原誤作"鈐"，據《文淵閣書目》卷十五、《郡齋讀書志》後志卷二改。

天元玉册

孟氏詵方①

産育寶慶集

萬全護命方

龍木論

全嬰方

仙傳濟陰方

銅人鍼炙圖

保幼方

保嬰集

全嬰總訣

嬰孩寶書②

活幼心書

養子直訣

幼幼新書

活幼口義

醫方妙選

養子要言

小兒痘疹方

陳氏小兒方

三十六弔書

小兒形證方

保嬰瘡疹方

十四經發揮

_____

① "詵方"，《文淵閣書目》卷十五作"詵詵方"。

② "嬰"字下原爲空格，據初編本添改。

小兒保生要方

嬰孩妙訣

膏肓腧穴灸法①

六十六雜病方

眼科口訣

七十二證眼論

鍼灸四書

明堂灸經

外科精要

諸風類方

鍼經指南

鍼灸集成

醫科程文

本草類要

銅人鍼灸經

秘傳外科方

博濟神應方

鍼灸資生經

許孫　瘡科方②

本草元命包③

七十二證眼科歌訣

朱彥修傳

本草經注

李東垣　內外傷寒辨④

---

① “穴”，原誤作“六”，據《文淵閣書目》卷十五、《四庫》本《宋史》卷二百七改。

② “方”後，《文淵閣書目》卷十五有一“論”字。

③ “元命包”，《文淵閣書目》卷十五作“原命苞”。

④ “寒”字，《文淵閣書目》卷十五無。

本草源流

本草衍義

本草歌括

湯液本草

丹溪本草

養生雜類

圖經本草

寶慶本草

本草綱目

食用本草

江西本草

類集本草

褚氏遺書

壽親養老新書

小兒方

續粥方①

丹溪醫論

聖濟經解義

存貞圖

端效方

仁齋直指方脈論

橐馳醫藥方

鷹鶻鵰鶚方

司牧安驥集

痊驥真經

---

① “粥”，《文淵閣書目》卷十五作“斷”。

蕃牧纂驗方

延壽書

相鶴經

馬經

食説

鷹鶻論

牛經①

農圃

齊民要術

農桑輯要

種蒔占書

節令要覽

種藝雜歷

山居備用

四時纂要

歲時種植

國老談苑

山居四要

治農書②

道僧丹語③

栽桑圖

農書

---

①　"牛經"後,《文淵閣書目》卷十五有一"方"字。

②　"農",《文淵閣書目》卷十五作"民"。

③　此條,《文淵閣書目》無,卷十五有一條目爲"道僧利論"。

内府經籍板

二十一史十三經共六萬八千一百二十五葉

五倫書一千七百一葉

周易大全一千一百十八葉

書傳大全七百六十三葉

詩傳大全九百九葉

春秋大全一千四百五十九葉

禮記大全一千二百五十九葉

書傳五百八十三葉

易傳五百八十二葉

詩傳六百三十五葉

春秋傳四百四十葉

禮記一千六十一葉

四書大全一千五百九十九葉

四書集注八百二十葉

性理大全二千二百六十九葉

資治通鑑綱目四千一百葉

續資治通鑑綱目一千一百二十二葉

少微通鑑節要一千四百三十八葉

資治通鑑節要續編一千六百八十三葉

晏宏　資治通鑑綱目四千二十葉

文獻通考一萬八百三十六葉

歷代名臣奏議九千七百二十葉

歷代通鑑纂要三千六百三十二葉

大明會典六千五百九十葉

事文類聚八千三百六十葉

大明一統志三千一百五十葉

明倫大典七百二十葉

大明集禮二千四百七十六葉

大學衍義一千三百八十八葉

大學衍義補三千六百葉

對類八百七十三葉

諸司職掌四百二十八葉

大明官制三百十葉

御製大誥二百五十三葉

大明律二百七葉

御製文集七百十三葉

洪武正韻五百葉

御製詩集八十四葉

韻府羣玉一千四十葉

經史海篇直音五百十二葉

廣韻二百五十五葉

玉篇三百十五葉

經書音釋一百七葉

詩韻釋義一百五十八葉

四書白文三百十二葉

詩學大成一千葉

爾雅　埤雅三百九十七葉

許氏説文六百五十葉

吕真人文集二百四十葉

孔子家語一百四十四葉

通書大全九百九十葉

列女傳一百二十五葉

神課金口訣二百四十葉

大明仁孝皇后勸善書八百七十六葉

臞仙肘後神樞一百七十八葉

選擇曆書二百五十六葉

雍熙樂府一千七百五十三葉

三國志通俗演義二千一百五十葉

歷代臣鑒五百六十葉

貞觀正要三百七十葉

居家必用八百八十葉

聖學心法三百十五葉

釋文三注千字文七十一葉

胡曾詩九十九葉

蒙求一百四十五葉

飲膳正要一百七十五葉

唐賢三體詩一百七十二葉

古文精粹二百五十六葉

李白詩三百六葉

高皇后傳四十七葉

女訓四十七葉

內訓五十葉

尚書　孝經　大學　中庸三百三十六葉

選詩補注三百十二葉

唐詩鼓吹二百六十六葉

周易占法二百四十葉

草堂詩餘一百九十葉

恩紀含春堂詩二百四十葉

小四書二百四十葉

明心寶鑑一百十五葉

擊壤集三百五十葉

勸忍百箴三百葉

古文真寶三百九十一葉

醫要集覽二百八十葉

草韻辨體二百七十葉

增定華彝譯語一千七百八葉

評史心見三百五十葉

通鑑博論二百九十葉

重刊證類本草一千三百四十五葉

皇明祖訓五十葉

祖訓條章十二葉

皇明典禮九十五葉

洪武禮制八十二葉

御製洪範篇序三十葉

稽古定制十九葉

慈聖宣文皇太后女鑒六十九葉

鄭氏女孝經四十二葉

曹大家女訓十六葉

內則詩六十二葉

內令十二葉

昭鑒錄一百五十二葉

勤政要典七十三葉

外戚事鑒六十八葉

山居四要八十三葉

臞仙肘後經一百十二葉

玉匣記八十二葉

省躬録七十三葉

祥異賦四十九葉

步天歌八葉

傳心妙訣四十五葉

詳明算法一百十葉

草字碎金九十二葉

真字碎金九十二葉

隸字碎金九十二葉

千家姓五十九葉

孝順事實二百九十二葉

爲善陰騭三百七十二葉

小学書解一百六葉

忠經四十二葉

孝經大義四十三葉

歷代紀年三十六葉

四時歌曲十一葉

隨機應化録六十葉

高皇帝　道德經注解六十九葉

達達字孝經四十二葉

醫按書三十二葉

蒙求白文三十九葉

山歌四葉

華彝譯語八十八葉

古字便覽五十二葉

八行遺事集二十八葉

警世篇三十一葉

忠經直解十六葉

太上感應靈篇九十二葉

憲綱五十葉

百家姓十葉

太學三十六葉

千字文十七葉

孝經十六葉

中庸五十六葉

千家詩四十四葉

七言雜字十三葉

三字經二十六葉

啓蒙集四十葉

啓蒙書法二十一葉

草訣百韻十四葉

草訣百韻歌四十葉

八行圖説四十一葉

孝經直解三十六葉

周公解夢書大全十七葉

四書直解一千八百四十葉

書經直解八百二十葉

通鑑直解一千四十二葉

帝鑑圖説三百五十六葉

洪武正韻玉鋌一百三十葉

佛經一藏十八萬八十二葉

道經一藏十二萬二千五百八十九葉

番經一藏十五萬七十四葉

明書卷七十七終

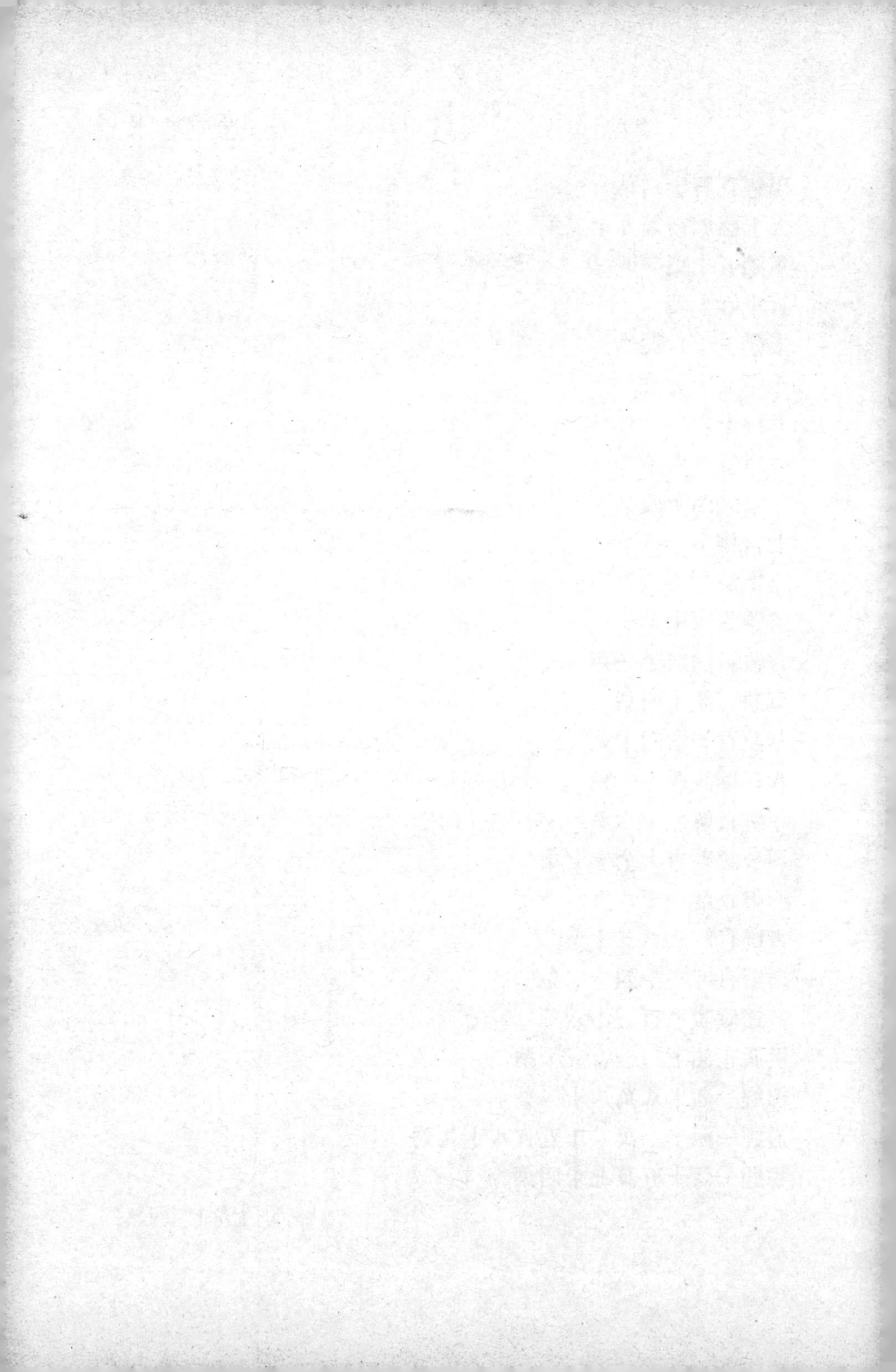

明史藝文志

〔清〕張廷玉 等修

周晶晶 整理

底本：民國上海商務印書館影印《百衲本
二十四史》
校本：1974 年中華書局排印《明史》本

一

明太祖定元都，大將軍收圖籍，致之南京，復詔求四方遺書，設秘書監丞，尋改翰林典籍以掌之。永樂四年，帝御便殿閱書史，問文淵閣藏書，解縉對以“尚多闕畧”，帝曰：“士庶家稍有餘資，尚欲積書，況朝廷乎？”遂命禮部尚書鄭賜遣使訪購，惟其所欲與之，勿較值。北京既建，詔修撰陳循取文淵閣書一部至百部，各擇其一，得百櫃，運致北京。宣宗嘗臨視文淵閣，親披閱經史，與少傅楊士奇等討論，因賜士奇等詩。是時，秘閣貯書約二萬餘部，近百萬卷，刻本十三，抄本十七。正統間，士奇等言：“文淵閣所貯書籍，有祖宗御製文集及古今經、史、子、集之書，向貯左順門北廊，今移於文淵閣東閣，臣等逐一點勘，編成書目，請用寶鈐識，永久藏弆。”制曰：“可。”正德十年，大學士梁儲等請檢內閣并束閣藏書，殘闕者令原管主事李繼先等次第修補。先是，祕閣書籍皆宋元所遺，無不精美，裝用倒摺，四周外向，蟲鼠不能損。迄流賊之亂，宋刻元鑴胥歸殘闕。至明御製詩文，內府鏤板，而儒臣奉勅修纂之書及象魏布告之訓，卷帙既夥，文藻復優，當時頒行天下。外此則名公卿之論撰，騷人墨客一家之言，其工者深醇大雅，卓卓可傳，即有怪奇駁雜出乎其間，亦足以考風氣之正變，辨古學之源流；識大識小，掌故備焉。把其華實，無讓前徽，可不謂文運之盛歟！四部之目，昉自荀勗，晋、宋以來因之。前史兼錄古今載籍，以爲皆其時柱下之所有也。明萬曆中，修撰焦竑修國史，輯《經籍志》，號稱詳博。然延閣、廣內之藏，竑亦無從徧覽，則前代陳編，何憑記錄。區區掇拾遺聞，冀以上承《隋志》，而贗書錯列，徒滋譌舛。故今第就二百七十年各家著述，稍爲釐次，勒成一志。凡卷數莫考、疑信未定者，寧闕而不詳云。

　　經類十：一曰易類，二曰書類，三曰詩類，四曰禮類，五曰樂類，六曰春秋類，七曰孝經類，八曰諸經類，九曰四書類，十曰小學類。

朱升　周易旁注前圖二卷　周易旁注十卷

梁寅　周易參義十二卷

趙汸　大易文詮八卷

鮑恂　大易舉隅三卷　又名《大易鉤玄》。

林大同　易經奧義二卷

歐陽貞　周易問辨三十卷

朱謐　易學啓蒙述解二卷

張洪　周易傳義會通十五卷

程汝器　周易集傳十卷

永樂中勅修　周易傳義大全二十四卷　義例一卷　胡廣等纂。

楊士奇　周易直指十卷

劉髦　石潭易傳撮要一卷

林誌　周易集説三卷

李賢　讀易記一卷

劉定之　周易圖釋三卷

王恕　玩易意見二卷

羅倫　周易説旨四卷

談綱　讀易愚慮二卷　易考圖義一卷　卜筮節要一卷　易義雜言一卷　易指考辨一卷

蔡清　周易蒙引二十四卷

朱綬　易經精蘊二十四卷

何孟春　易疑初筮告蒙約十二卷

胡世寧　讀易私記四卷

陳鳳梧　集定古易十二卷

劉玉　執齋易圖説一卷

許誥　圖書管見一卷

周用　讀易日記一卷

崔銑　讀易餘言五卷　易大象説一卷

湛若水　修復古易經傳訓測十卷

張邦奇　易説一卷

鄭善夫　易論一卷

呂柟　周易説翼三卷

王崇慶　周易議卦二卷

唐龍　易經大旨四卷

韓邦奇　易學啟蒙意見四卷　一名《易學疏原》。　易占經緯四卷

鍾芳　學易疑義三卷

王道　周易億四卷

梅鷟　古易考原三卷

金賁亨　學易記五卷

舒芬　易箋問一卷

季本　易學四同八卷　圖文餘辨一卷　蓍法別傳一卷　古
易辨一卷

林希元　易經存疑十二卷

陳琛　易經通典六卷　一名《淺説》。

方獻夫　周易約説十二卷

余誠　易圖説一卷

黃芹　易圖識漏一卷

李舜臣　易卦辱言一卷

葉良珮　周易義叢十六卷

豐坊　古易世學十五卷　坊云家有《古易》，傳自遠祖豐稷。又有《古書世學》
六卷，言得朝鮮、倭國二本，合於今文、古文、石經。古本《魯詩世學》三十六卷，亦言
豐稷所傳。錢謙益謂皆坊僞撰也。

唐樞　易修墨守一卷

羅洪先　易解一卷

楊爵　周易辨録四卷

薛甲　易象大旨八卷

熊過　周易象旨決録七卷

胡經　易演義十八卷

王畿　大象義述一卷

盧翰　古易中説四十四卷

陳言　易疑四卷

陳士元　易象鉤解四卷　易象彙解二卷

魯邦彦　圖書就正録一卷

李贄　九正易因四卷　贄自謂初著《易因》一書，改至八九次而後定，故有“九
正”之名。

徐師曾　今文周易演義十二卷

姜寶　周易補疑十二卷

顧曾唯　周易詳藴十三卷

孫應鰲　易談四卷

鄧元錫　易經緯五卷

顔鯨　易學義林十卷

陳錫　易原一卷

王世懋　易解一卷

徐元氣　周易詳解十卷

萬廷言　易説四卷　易原四卷

楊時喬　周易古今文全書二十一卷

來知德　周易集註十六卷

任惟賢　周易義訓十卷

張獻翼　讀易韻考七卷

曾士傳　正易學啓蒙一卷

葉山　八白易傳十六卷

金瑶　六爻原意一卷

李逢期　易經隨筆三卷

方社昌　周易指要三卷

孫從龍　周易參疑十卷

沈一貫　易學十二卷

馮時可　易説五卷

唐鶴徵　周易象義四卷

黄正憲　易象管窺十五卷

郭子章　易解十五卷

吳中立　易詮古本三卷

周垣①　易圖説一卷

朱篁　易郵七卷

朱謀㙔　易象通八卷

陳第　伏羲圖贊二卷

鄧伯羔　古易詮二十九卷　今易詮二十四卷

傅文兆　羲經十一翼五卷

林兆恩　易外別傳一卷

---

　　① “垣”，據王鴻緒《明史稿》卷九十三《藝文志》（以下稱《明史稿》）、《經義考》卷
五七當作“坦”。

王宇　周易占林四卷

彭好古　易鑰五卷

方時化　易疑一卷　易引九卷　周易頌二卷　學易述談
　四卷

章潢　周易象義十卷

姚舜牧　易經疑問十二卷

顏素　易研六卷

曾朝節　易測十卷

鄒元標　易毂通一卷

徐三重　易義一卷

蘇濬　周易冥冥篇四卷　易經兒説四卷

沈孚聞　周易口鈔十一卷

屠隆　讀易便解四卷

楊啟新　易林疑説二卷

鍾化民　讀易鈔十四卷

李廷機　易經纂注四卷　易答問四卷

鄒德溥　易會八卷

錢一本　像象管見七卷　易象鈔　續鈔共六卷　四聖一心録
　四卷

潘士藻　洗心齋讀易述十七卷

岳元聲　易説三卷

顧允成　易圖説億言四卷

焦竑　易筌六卷

高攀龍　大易易簡説三卷　周易孔義一卷

郝敬　周易正解二十卷　易領四卷　問易補七卷　學易枝
　言二卷

張納陛　學易飲河八卷

吳炯　周易繹旨八卷

萬尚烈　易贊測一卷　易大象測一卷

吳默　易說六卷

姚文蔚　周易旁注會通十四卷

李本固　古易彙編意辭集十七卷

楊廷筠　易顯六卷

湯賓尹　易經翼註四卷

孫慎行　周易明洛義纂述六卷　不語易義二卷

曹學佺　周易可說七卷

張汝霖　周易因指八卷

崔師訓　大成易旨二卷

劉宗周　周易古文鈔三卷　讀易圖記一卷

薛三省　易蠡二卷

程汝繼　周易宗義十二卷

王三善　周易象注九卷

魏濬　周易古象通八卷

樊良樞　易疑一卷　易象二卷

高捷　易學象辭二集十二卷

陸振奇　易芥十卷

楊瞿崍　易林疑說十卷

王納諫　周易翼註三卷

陸夢龍　易畧三卷

文翔鳳　邵窩易詁一卷

卓爾康　易學全書五十卷

繆昌期　周易會通十二卷

羅喻義　讀易內篇　問篇　外篇共七卷

程玉潤　周易演旨六十五卷

錢士升　易揆十二卷

錢繼登　易簀三卷

吳極　易學五卷

方孔炤　周易時論十五卷

徐世淳　易就六卷

汪邦柱　周易會通十二卷

葉憲祖　大易玉匙六卷

方鯤　易瀁二卷

鮑觀白　易說二卷

張伯樞　易象大旨三卷

吳桂森　像象述五卷

鄭維嶽　易經意言六卷

喻有功　周易懸鏡七卷

潘士龍　演易圖說一卷

洪守美　易說醒四卷

余叔純　周易讀五卷

陸起龍　周易易簡編四卷

徐奇　周易卦義二卷

洪化昭　周易獨坐談五卷

沈瑞鍾　周易廣筌二卷

林有桂　易經觀理說四卷

陳履祥　孔易彀一卷

許順義　易經三注粹鈔四卷

王祚昌　周易敝書五卷

容若春　今易圖學心法釋義十卷

張次仲　周易玩辭困學記十二卷

顧樞　西疇易稿三卷

陳仁錫　羲經易簡録八卷

黃道周　易象正十四卷　三易洞璣十六卷

倪元璐　兒易內儀六卷　外儀十五卷

龍文光　乾乾篇三卷

文安之　易備十四卷

林胤昌　周易耡義六卷

張鏡心　易經增註十二卷

李奇玉　易義四卷

朱之俊　周易纂六卷

何楷　古周易訂詁十六卷

侯峒曾　易解三卷

黎遂球　周易爻物當名二卷

鄭虔唐　讀易蒐十二卷

陳際泰　易經大意七卷　羣經輔易說一卷　周易翼簡捷解十六卷

秦鏞　易序圖說二卷

金鉉　易說一卷

黃端伯　易疏五卷

來集之　讀易偶通二卷

　　右易類，二百二十二部，一千五百七十卷。

明太祖　**注尚書洪範一卷**　帝嘗命儒臣書《洪範》，揭於御座之右，因自爲注。

仁宗　**體尚書二卷**　釋《尚書》中《臯陶謨》、《甘誓》、《盤庚》等十六篇，以講解更其原文。

世宗　**書經三要三卷**　帝以太祖有注《洪範》一篇，因注《無逸》，再注《伊訓》，分三冊，共爲一書。已乃製《洪範序畧》一篇，復將《臯陶謨》、《伊訓》、《無逸》等篇通加注釋，名曰《書經三要》。

洪武中敕修　書傳會選六卷　太祖以蔡沈《書傳》有得有失，詔劉三吾等訂正
之。又集諸家之說，足其未備。書成，頒刻，然世竟鮮行。永樂中修《大全》，一依蔡
《傳》，取便於士子舉業。此外不復有所考究也。

朱升　尚書旁注六卷　書傳補正輯注一卷

梁寅　書纂義十卷

朱右　書集傳發揮十卷　禹貢凡例一卷

徐蘭　書經體要一卷

陳雅言　尚書卓躍六卷

郭元亮　尚書該義十二卷

永樂中敕修　書傳大全十卷　胡廣等纂。

張洪　尚書補傳十二卷

彭勖　書傳通釋六卷

徐善述　尚書直指六卷

陳濟　書傳補注一卷

徐驥　洪範解訂正一卷

章陬　書經提要四卷

費希冉　尚書本旨七卷

楊守陳　書私鈔一卷

黃瑜　書經旁通十卷

李承恩　書經拾蔡二卷

楊廉　洪範纂要一卷

熊宗立　洪範九疇數解八卷

張邦奇　書說一卷

吳世忠　洪範考疑一卷

鄭善夫　洪範論一卷

劉天民　洪範辨疑一卷

馬明衡　尚書疑義一卷

呂柟　尚書説疑五卷

韓邦奇　禹貢詳畧二卷

王崇慶　書經説畧一卷

舒芬　書論一卷

鄭曉　尚書考二卷　禹貢圖説一卷

馬森　書傳敷言十卷

張居正　書經直解八卷

王樵　尚書日記十六卷　書帷別記四卷

陳錫　尚書經傳別解一卷

歸有光　洪範傳一卷　考定武成一卷

程弘賓　書經虹臺講義十二卷

屠本畯　尚書別録六卷

鄧元錫　尚書繹二卷

章潢　尚書圖説三卷

陳第　尚書疏衍四卷

羅敦仁　尚書是正二十卷

鍾庚陽　尚書傳心録七卷

王祖嫡　書疏叢鈔一卷

瞿九思　書經以俟録六卷

姚舜牧　書經疑問十二卷

劉應秋　尚書旨十卷

郭正域　東宮進講尚書義一卷

錢一本　範衍十卷

袁宗道　尚書纂注四卷

焦竑　禹貢解一卷

吳炯　書經質疑一卷

王肯堂　尚書要旨三十一卷

郝敬　尚書辨解十卷

盧廷選　尚書雅言六卷

曹學佺　書傳會衷十卷

謝廷讚　書經翼注七卷

趙惟寰　尚書蠡四卷

陸鍵　尚書傳翼十卷

張爾嘉　尚書貫言二卷

姜逢元　禹貢詳節一卷

朱道行　尚書集思通十二卷

史惟堡　尚書晚訂十二卷

楊肇芳　尚書副墨六卷

潘士遴　尚書葦籥五十卷

徐大儀　書經補注六卷

黃道周　洪範明義四卷

鄭鄤　禹貢注一卷

艾南英　禹貢圖注一卷

傅元初　尚書撮義四卷

袁儼　尚書百家彙解六卷

江旭奇　尚書傳翼二卷

朱朝瑛　讀書略記二卷

茅瑞徵　虞書箋二卷　禹貢匯疏十二卷

王綱振　禹貢逆志一卷

張能恭　禹貢訂傳一卷

黃翼登　禹貢注刪一卷

夏允彝　禹貢古今合注五卷

羅喻義　洪範直解一卷　讀範內篇一卷

　　右書類,八十八部,四百九十七卷。

周是修　詩小序集成三卷

梁寅　詩演義八卷　詩考四卷

朱升　詩旁注八卷

汪克寬　詩集傳音義會通三十卷

曾堅　詩疑大鳴録一卷

朱善　詩解頤四卷

高頤　詩集傳解二十卷

張洪　詩正義十五卷

楊禹錫　詩義二卷

鄭旭　詩經總旨一卷

永樂中敕修　詩集傳大全二十卷　胡廣等纂。

范理　詩集解三十卷

王逢　詩經講説二十卷

孫鼎　詩義集説四卷

李賢　讀詩紀一卷

楊守陳　詩私鈔四卷

易貴　詩經直指十五卷

程楷　詩經講説二十卷

陸深　儼山詩微二卷

張邦奇　詩説一卷

湛若水　詩釐正二十卷

吕柟　毛詩序説六卷

胡纘宗　胡氏詩識三卷

王崇慶　詩經衍義一卷

季本　詩説解頤八卷　總論二卷

黄佐　詩傳通解二十五卷

潘恩　詩經輯説七卷

陸埰　詩傳存疑一卷

薛應旂　方山詩說八卷

陳錫　詩辨疑一卷

勞堪　詩林伐柯四卷

沈一貫　詩經纂注四卷

馮時可　詩億二卷

郭子章　詩傳書例四卷

朱得之　印古詩說一卷

袁仁　毛詩或問二卷

鄧元錫　詩繹三卷

陳第　毛詩古音考四卷

朱謀㙔　詩故十卷

凌濛初　聖門傳詩嫡冢十六卷　詩逆四卷

陶其情　詩經注疏大全纂十二卷

趙一元　詩經理解十四卷

黃一正　詩經埤傳八卷

馮復京　六家詩名物疏五十五卷

吳雨　毛詩鳥獸草木疏三十卷

唐汝諤　毛詩微言二十卷

瞿九思　詩經以俟錄六卷

姚舜牧　詩經疑問十二卷

林兆珂　毛詩多識篇七卷

汪應蛟　學詩畧一卷

徐常吉　毛詩翼說五卷

吳炯　詩經質疑一卷

郝敬　毛詩原解三十六卷　序說八卷

張彩　詩原三十卷

徐必達　南州詩説六卷

劉憲寵　詩經會説八卷

曹學佺　詩經質疑六卷

沈萬鈆　詩經類考三十卷

顧起元　爾雅堂詩説四卷

蔡毅中　詩經補傳四卷

沈守正　詩經説通十四卷

樊良樞　詩商五卷

徐光啓　毛詩六帖六卷

趙琮　葩經約説十卷

莊廷臣　詩經逢源八卷

鄒忠胤　詩傳闡二十四卷

陸化熙　詩通四卷

胡胤嘉　讀詩録二卷

朱道行　詩經集思通十二卷

何楷　毛詩世本古義二十八卷

張次仲　待軒詩記六卷

張睿卿　詩疏一卷

唐達　毛詩古音考辨一卷

張溥　詩經注疏大全合纂三十四卷

高承埏　五十家詩義裁中十二卷

朱朝瑛　讀詩畧記二卷

張星懋　詩采八卷

高鼎禧　詩經存旨八卷

韋調鼎　詩經考定二十四卷

趙起元　詩權八卷

喬中和　葩經旁意一卷

胡紹曾　詩經胡傳十二卷

范王孫　詩志二十六卷

　　右詩類,八十七部,九百八卷。

方孝孺　周禮考次目録一卷

何喬新　周禮集注七卷　周禮明解十二卷

陳鳳梧　周禮合訓六卷

魏校　周禮沿革傳六卷　官職會通二卷

楊慎　周官音詁一卷

舒芬　周禮定本十三卷

季本　讀禮疑圖六卷

陳深　周禮訓雋十卷　周禮訓注十八卷　考工記句詁一卷

唐樞　周禮因論一卷

羅洪先　周禮疑一卷

王圻　續定周禮全經集注十四卷

李如玉　周禮會注十五卷

柯尚遷　周禮全經釋原十四卷

金瑶　周禮述注六卷

王應電　周禮傳十卷　周禮圖説二卷　學周禮法一卷　非周
　禮辨一卷

馮時行　周禮別説一卷

施天麟　周禮通義二卷

周即登①　周禮説十四卷

焦竑　考工記解二卷

_____

　　①　"周",據《千頃堂書目》卷二、嵇璜《續文獻通考》卷一五一、《四庫全書總目》卷
二三當作"徐"。

陳與郊　考工記輯注二卷

郝敬　周禮完解十二卷

郭良翰　周禮古本訂注六卷

孫攀古　周禮釋評六卷

陳仁錫　周禮句解六卷

張采　周禮合解十八卷

林兆珂　考工記述注二卷

徐昭慶　考工記通二卷

王志長　周禮注疏删翼三十卷

郎兆玉　注釋古周禮六卷

沈羽明　周禮彙編六卷　已上《周禮》。

汪克寬　經禮補逸九卷

黃潤玉　儀禮戴記附注五卷

何喬新　儀禮叙録十七卷

陳鳳梧　射禮集要一卷

湛若水　儀禮補逸經傳測一卷

徐駿　五服集證一卷

王廷相　昏禮圖一卷　鄉射禮圖注一卷　喪禮論一卷　喪禮
　　備纂二卷

舒芬　士相見禮儀一卷

聞人詮　飲射圖解一卷

朱繻　射禮集解一卷

胡纘宗　儀禮鄭注附逸禮二十五卷

郝敬　儀禮節解十七卷

王志長　儀禮注疏删翼十七卷　已上《儀禮》。

連伯聰　禮記集傳十六卷

朱右　深衣考一卷

黃潤玉　考定深衣古制一卷

永樂中敕修　禮記大全三十卷　胡廣等纂。

鄭節　禮傳八十卷

岳正　深衣注疏一卷

楊廉　深衣纂要一卷

夏時正　深衣考一卷

王廷相　夏小正集解一卷　深衣圖論一卷

夏言　深衣考一卷

王崇慶　禮記約蒙一卷

楊慎　檀弓叢訓二卷　一名《附註》。　夏小正解一卷

張孚敬　禮記章句八卷

戴冠　禮記集説辨疑一卷

柯尚遷　曲禮全經類釋十四卷

李孝先　投壺譜一卷

黃乾行　禮記日録四十九卷

聞人德潤　禮記要旨補十六卷

邱橓　禮記摘訓十卷

徐師曾　禮記集註三十卷

戈九疇　禮記要旨十六卷

陳與郊　檀弓輯註二卷

姚舜牧　禮記疑問十二卷

沈一中　禮記述注十八卷

王萱　禮記纂註四卷

郝敬　禮記通解二十二卷

余心純　禮經搜義二十八卷

劉宗周　禮經考次正集十四卷　分集四卷

樊良樞　禮測二卷

陳有元　禮記約述八卷

朱泰禎　禮記意評四卷

湯三才　禮記新義三十卷

王翼明　禮記補注三十卷

黃道周　月令明義四卷　坊記集傳二卷　表記集傳二卷

　　緇衣集解二卷①

陳際泰　王制説一卷

張習孔　檀弓問四卷

盧翰　月令通考十六卷

楊鼎熙　禮記敬業八卷

閻有章　説禮三十一卷　已上《禮記》。

夏時正　三禮儀畧舉要十卷

湛若水　二禮經傳測六十八卷　大畧以《曲禮》、《儀禮》爲經，《禮記》爲傳。

吳嶽　禮考一卷

劉績　三禮圖二卷

貢汝成　三禮纂注四十九卷

李黼　二禮集解十二卷　合《周禮》、《儀禮》爲一，集諸家之説以解之。

李經綸　三禮類編三十卷

鄧元錫　三禮編繹二十六卷

唐伯玉　禮編二十八卷　已上通禮。

　　　右禮類，一百七部，一千一百二十一卷。

湛若水　古樂經傳全書二卷

張敔　雅樂發微八卷　樂書雜義七卷

---

①　"解"，據《千頃堂書目》卷二、《四庫全書總目》卷二一、《鎮黃先生進覽書四種》和《石齋先生經傳九種》當作"傳"。

韓邦奇　律呂新書直解一卷　苑洛志樂二十卷

周瑛　律呂管鑰一卷

劉績　六樂圖二卷

黃佐　禮典四十卷　樂典三十六卷

何瑭　樂律管見一卷　一名《律呂管見》。

呂柟　詩樂圖譜十八卷

季本　樂律纂要一卷　律呂別書一卷

李文利　大樂律呂元聲六卷　大樂律呂考証四卷

張諤　大成樂舞圖譜二卷　古雅心談一卷

李文察　樂記補説二卷　四聖圖解二卷　律呂新書補注一

　卷　典樂要論三卷　古樂筌蹄九卷　青宮樂調三卷

劉濂　樂經元義八卷　九代樂章二十三卷

鄧文憲　律呂解注二卷

黃積慶　樂律管見二卷　正李文利之非。

唐順之　樂論八卷

蔡宗兗　律同二卷

楊繼盛　擬補樂經一卷

潘巒　文廟樂編二卷

李璧　宴饗樂譜一卷

葛見堯　含少論畧一卷

呂懷　律呂古義二卷　韻樂補遺二卷　律呂廣義三卷

孫應鰲　律呂分解發明四卷

王邦直　律呂正聲六十卷

朱載堉　樂律全書四十卷

樂和聲　大成樂舞圖説一卷

何棟如　文廟雅樂考二卷

史記事　大成禮樂集三卷

瞿九思　孔廟禮樂考五卷

李之藻　頖宮禮樂疏十卷

黃居中　文廟禮樂志十卷

梅鼎祚　古樂苑五十二卷　衍録四卷　唐樂苑三十卷

黃汝良　樂律志四卷

王朝璽　律呂新書私解一卷

王思宗　黃鍾元統圖説一卷　八音圖注一卷

葉廣　禮樂合編三十卷

王正中　律書詳註一卷

　　右樂類，五十四部，四百八十七卷。

春秋本末三十卷　<small>洪武中，懿文太子命宮臣傅藻等編。</small>

趙汸　春秋集傳十五卷　附録二卷[①]　春秋屬辭十五卷　左傳
　補注十卷

梁寅　春秋考義十卷

張以寧　春秋尊王發微八卷　春秋春王正月考一卷　辨疑
　一卷

汪克寬　春秋胡傳附録纂疏三十卷

徐尊生　春秋論一卷

蔡深　春秋纂十卷

李衡　春秋釋例集説三卷

石光霽　春秋書法鈎玄四卷

永樂中敕修　春秋集傳大全三十七卷　<small>胡廣等纂。</small>

金幼孜　春秋直指三十卷　春秋要旨三卷

---

　　①　據《千頃堂書目》卷二、《四庫全書總目》卷二八、“附録”前當有“春秋師説三卷”
六字。

張洪　春秋説約十二卷

饒秉鑑　春秋會傳十五卷　提要一卷

張復　春秋中的一卷

童品　春秋經傳辨疑一卷

余本　春秋傳疑一卷

郭登　春秋左傳直解十二卷

邵寶　左觿一卷

楊循吉　春秋經解摘録一卷

湛若水　春秋正傳三十七卷

金賢　春秋紀愚十卷

劉節　春秋列傳五卷

劉績　春秋左傳類解二十卷

張邦奇　春秋説一卷

席書　元山春秋論一卷

江曉　春秋補傳十五卷

魏校　春秋經世書二卷

蔡芳　春秋訓義十一卷

呂柟　春秋説志五卷

許誥　春秋意見一卷

胡世寧　春秋志疑十八卷

鍾芳　春秋集要二卷

楊慎　春秋地名考一卷

湯鼐　春秋易簡發明二十卷

季本　春秋私考三十卷

王崇慶　春秋析義二卷

王道　春秋億四卷

胡纘宗　春秋本義十二卷

姜綗　春秋曲言十卷

李濂　夏周正辨疑會通四卷

陸粲　左傳附注五卷　春秋左氏觿二卷　胡傳辨疑二卷

任桂　春秋質疑四卷

黃佐　纘春秋明經十二卷

石珤　左傳章畧三卷

唐順之　春秋論一卷　左氏始末十二卷

趙恒　春秋錄疑十七卷

魏謙吉　春秋大旨十卷

詹萊　春秋原經十七卷

林命　春秋訂疑十二卷

姚咨　春秋名臣傳十三卷

袁顥　春秋傳三十卷

袁詳①　春秋或問八卷

袁仁　鍼胡篇一卷

邵弁　春秋尊王發微十卷　《屬辭比事》八卷,《或問》一卷,《凡例輯畧》一卷。

傅遜　春秋左傳屬事二十卷　春秋左傳注解辨誤二卷

嚴訥　春秋國華十七卷

高拱　春秋正旨一卷

姜寶　春秋事義全考二十卷　春秋讀傳解畧十二卷　疏《胡傳》之
義,意以便學者。

王樵　春秋輯傳十五卷　凡例三卷

馬森　春秋伸義辨類二十九卷

許孚遠　左氏詳節八卷

顏鯨　春秋貫玉四卷

①　"詳",據《千頃堂書目》卷二、《經義考》卷二〇一當作"祥"。

李攀龍　春秋孔義十二卷

汪道昆　春秋左傳節文十五卷

吳國倫　春秋世譜十卷　以《春秋》列國事實見於《史記》他書者，分國爲諸侯
世家。

徐學謨　春秋億六卷

朱睦㮮　春秋諸傳辨疑四卷

王錫爵　左傳釋義評苑二十卷

鄧元錫　春秋繹一卷

黃洪憲　春秋左傳釋附二十七卷

黃正憲　春秋翼附二十卷

馮時可　左氏討二卷　左氏論二卷　左氏釋二卷

穆文熙　國概六卷

余懋學　春秋蠡測四卷

凌稚隆　左傳測義七十卷

錢時俊　春秋胡傳翼三十卷

冷逢震　周正考一卷

徐即登　春秋説十一卷

鄒德溥　春秋匡解八卷

姚舜牧　春秋疑問十二卷

郝敬　春秋直解十二卷

鄭良弼　春秋或問十四卷　存疑一卷　續義二卷

張事心　春秋左氏人物譜一卷

陸曾曄　編春秋所見所聞所傳聞三卷

施仁　左粹類纂十二卷

陳可言　春秋左傳類事三十六卷

曹宗儒　春秋序事本末三十卷　逸傳三卷　左氏辯三卷

曹學佺　春秋闡義十二卷　春秋義畧三卷

錢世揚　春秋説十卷

王衡　春秋纂注四卷

魏靖國　三傳異同三十卷

卓爾康　春秋辨義四十卷

張國經　春秋比事七卷

錢應奎　左記十一卷

張銓　春秋補傳十二卷

馮伯禮　春秋羅纂十二卷

耿汝忞　春秋愍渡十五卷

顧懋樊　春秋義三十卷

王震　春秋左翼四十三卷

徐允禄　春秋愚謂四卷

馮夢龍　春秋衡庫二十卷

林胤昌　春秋易義十二卷

張溥　春秋三書三十一卷

余颺　春秋存俟十二卷

虞宗瑶　春秋提要二卷

劉城　春秋左傳地名録二卷

孫范　左傳紀事本末二十二卷

來集之　春秋志在十二卷　四傳權衡一卷

賀仲軾　春秋歸義三十二卷　便考十卷

　　右春秋類，一百三十一部，一千五百二十五卷。

宋濂　孝經新説一卷

孫蕡　孝經集善一卷

孫吾與　孝經注解一卷

方孝孺　孝經誠俗一卷

晏璧　孝經刊誤一卷

曹端　孝經述解一卷

劉實　孝經集解一卷

薛瑄　定次孝經今古文一卷

楊守陳　孝經私鈔八卷

余本　孝經集注三卷

王守仁　孝經大義一卷

陳深　孝經解詁一卷

歸有光　孝經叙録一卷

李材　孝經疏義一卷

楊起元　孝經外傳一卷　孝經引證二卷

虞淳熙　孝經邇言九卷　孝經集靈一卷

胡時化　注解孝經一卷

吳撝謙　重定孝經列傳七卷

朱鴻　孝經質疑一卷　集解一卷

王元祚　孝經彙注三卷

陳仁錫　孝經小學詳解八卷

黃道周　孝經集傳二卷

何楷　孝經集傳二卷

張有譽　孝經衍義六卷

江旭奇　孝經疏義一卷

瞿罕　孝經貫注二十卷　孝經存餘三卷　孝經考異一卷
　孝經對問三卷

呂維祺　孝經本義二卷　孝經大全二十八卷　或問三卷
　　右孝經類，三十五部，一百二十八卷。

蔣悌生　五經蠡測六卷

董彝　經疑十卷

黄潤玉　經書補注四卷　經譜一卷

周洪謨　經書辨疑録三卷

王恕　石渠意見二卷　拾遺一卷　補缺一卷

章懋　諸經講義二卷

邵寳　簡端録十二卷

王崇慶　五經心義五卷

王守仁　五經臆説四十六卷

吕柟　經説十卷

楊慎　經説八卷

詹萊　七經思問三卷

鄭世威　經書答問十卷

薛治　五經發揮七十卷

丁奉　經傳臆言二十八卷

唐順之　五經總論一卷

胡賓　六經圖全集六卷

陳深　十三經解詁六十卷

穆相　五經集序二卷

王覺　五經四書明音八卷

蔡汝楠　説經劄記八卷

朱睦㮮　授經圖二十卷　五經稽疑六卷　經序録五卷

陳士元　五經異文十一卷

王世懋　經子臆解一卷

徐常吉　遺經四解四卷　六經類雅五卷

周應賓　九經考異十二卷　逸語一卷

郝敬　九部經解一百六十五卷

陳禹謨　經言枝指十卷

蔡毅中　六經注疏四十三卷

卜大有　經學要義五卷

杜質明　儒經翼七卷

陳仁錫　六經圖考三十六卷

楊聯芳　羣經類纂三十四卷

楊維休　五經宗義二十卷

張瑄　五經研朱集二十二卷

顧夢麟　十一經通考二十卷

　　右諸經類，四十三部，七百三十四卷。

陶宗儀　四書備遺二卷

劉醇　四書解疑四卷

周是修　論語類編二卷

永樂中敕修　四書大全三十六卷　胡廣等纂。

孔謂　中庸補注一卷

黃潤玉　學庸通旨一卷

周洪謨　四書辨疑録三卷

丁璣　大學疑義一卷

蔡清　四書蒙引十五卷

王守仁　古本大學注一卷

朱綬　四書補注三卷

夏良勝　中庸衍義十七卷

湛若水　中庸測一卷

程嗣光　四書講義十卷

呂柟　四書因問六卷

魏校　大學指歸一卷

王道　大學億一卷

穆孔暉　大學千慮一卷

季本　四書私存三十七卷

薛甲　四書正義十二卷

梁格　集四書古義補十卷

金賁亨　學庸義二卷

蘇濂　四書通考補遺六卷

朱潤　四書通解十卷

馬森　學庸口義三卷

廖紀　四書管窺四卷

陳士元　論語類考二十卷　孟子雜記四卷

許孚遠　論語學庸述四卷

謝東山　中庸集說啓蒙一卷

唐樞　四書問録二卷

楊時喬　四書古今文註發九卷

李材　論語大意二十卷

顧憲成　大學通考一卷　大學質言一卷

管志道　論語訂釋十卷　中庸測義一卷　孟子訂釋七卷

鄒元標　學庸商求二卷

鄭維嶽　四書知新日録三十七卷

王肯堂　論語義府二十卷

史記事　四書疑問五卷

郝敬　四書攝提十卷

姚舜牧　四書疑問十二卷

李槃　中庸臆説一卷

吳應賓　中庸釋論十二卷

顧起元　中庸外傳三卷

林茂槐　四書正體五卷

陳禹讜　談經苑四十卷　漢詁纂二十卷　引經繹五卷　人物
　概十五卷　名物考二十卷
陶廷奎　四書正學衍説八卷
劉元卿　四書宗解八卷
陳仁錫　四書語録一百卷　四書析義十卷　四書備考八
　十卷
張溥　四書纂注大全三十七卷
　　　右四書類,五十九部,七百十二卷。

危素　爾雅畧義十九卷
朱睦㮮　訓林十二卷
朱謀㙔　駢雅七卷
李文成　博雅志十三卷
張萱　彙雅前編二十卷　後編二十卷
羅曰褧　雅餘八卷
穆希文　蟫史集十一卷
黃裳　小學訓解十卷
朱升　小四書五卷　集宋元儒方逢辰《名物蒙求》、程若庸《性理字訓》、陳櫟《歷
　代蒙求》各一卷,黃繼善《史學提要》二卷。
何士信　小學集成十卷　圖説一卷
趙古則　學範六卷　童蒙習句一卷
方孝孺　幼儀雜箴一卷
張洪　小學翼贊詩六卷
鄭真　學範六卷
朱逢吉　童子習一卷
吳訥　小學集解十卷
劉實　小學集注六卷

邱陵　嬰教聲律二十卷

廖紀　童訓一卷

陳選　小學句讀六卷

王雲鳳　小學章句四卷

湛若水　古今小學六卷

鍾芳　小學廣義一卷

黃佐　小學古訓一卷

王崇文　蒙訓一卷

王崇獻　小學撮要六卷

朱載瑋　困蒙録一卷

耿定向　小學衍義二卷

吳國倫　訓初小鑑四卷

周憲王有燉　家訓一卷

朱勤美　諭家邇談二卷

鄭綺　家範二卷

王士覺　家則一卷

程達道　家教輯録一卷

周是修　家訓十二卷

楊榮　訓子編一卷

曹端　家規輯畧一卷

楊廉　家規一卷

何瑭　家訓一卷

程敏政　貽範録三十卷

周思兼　家訓一卷

孫植　家訓一卷

吳性　宗約一卷　家訓一卷

楊繼盛　家訓一卷

王祖嫡　家庭庸言二卷　_{已上小學。}

女誡一卷　_{洪武中，命儒臣編。}

高皇后　内訓一卷

文皇后　勸善書二十卷

章聖太后　女訓一卷　_{獻宗爲序，世宗爲後序。}

慈聖太后　女鑑一卷　内則詩一卷　_{嘉靖中，命方獻夫等撰。}

黄佐　姆訓一卷

王敬臣　婦訓一卷

王直　女教續編一卷　_{已上女學。}

洪武正韻十六卷

孫吾與　韻會訂正四卷

謝林　字要源委五卷①

趙古則　聲音文字通一百卷　六書本義十二卷

穆正　文字譜系十二卷

蘭廷秀　韻畧易通二卷

章黻　韻學集成十二卷　直音篇七卷

涂觀　六書音義十八卷

黄諫　從古正文六卷

顧充　字類辨疑二卷

張穎　古今韻釋五卷

梁倫　稽古叶聲二卷

周瑛　書纂五卷

音釋一卷②

---

　　① “要”，據《千頃堂書目》卷三當作“學”。

　　② 據《千頃堂書目》卷三、《四庫全書總目》卷四三，“音釋”前當有“魏校　六書精蘊六卷”八字。

王應電　同文備考九卷

楊慎　轉注古音畧五卷　古音叢目五卷　古音獵要五卷　古音附録五卷　古音餘五卷　古音畧例一卷　六書練証五卷　六書索隱五卷　古文韻語二卷　韻林原訓五卷　奇字韻五卷　韻藻四卷

方豪　韻補五卷

龔時憲　玉篇鑑礂四十卷

劉隅　古篆分韻五卷

潘恩　詩韻輯畧五卷

張之象　四聲韻補五卷

陳士元　古俗字畧七卷　韻苑考遺四卷

田藝蘅　大明同文集五十卷

茅溱　韻補本義十六卷①

焦竑　俗書刊誤十二卷

方日升　古今韻會小補三十卷

程元初　五經詞賦叶韻統宗二十四卷

黃鍾　音韻通括二卷

郝敬　讀書通二十卷

林茂槐　讀書字考畧四卷

趙宦光　説文長箋七十二卷　六書長箋十三卷

梅膺祚　字彙十二卷

吳汝紀　古今韻括五卷

吳繼仕　音聲紀元六卷

呂維祺　音韻日月燈六十卷

① 　“補”，據《千頃堂書目》卷三、稽璜《續文獻通考》卷一六〇、《四庫全書總目》卷四四當作“譜”。

周宇　字考啓蒙十六卷　認字測三卷

周伯殷　字義切㓟二卷

楊昌文　篆韻正義五卷

熊晦　類聚音韻三十卷

楊廉　綴算舉例一卷　數學圖訣發明一卷

顧應祥　測圓算術四卷　弧矢算術二卷　釋測圓海鏡十卷

唐順之　句股等六論一卷

朱載堉　嘉量算經三卷

李瓚　同文算指通編二卷　前編二卷

楊輝　九章一卷　<small>已上書數。</small>

　　右小學類，一百二十三部，一千六十四卷。

二

史類十：一曰正史類，編年在内。二曰雜史類，三曰史鈔類，四曰故事類，五曰職官類，六曰儀注類，七曰刑法類，八曰傳記類，九曰地理類，十曰譜牒類。

明太祖實録二百五十七卷　建文元年，董倫等修。永樂元年，解縉等重修。九年，胡廣等復修。起元至正辛卯，訖洪武三十一年戊寅，首尾四十八年。萬曆時，允科臣楊天民請，附建文帝元、二、三、四年事蹟於後。

日曆一百卷　洪武中，詹同等編。具載太祖征討平定之績，禮樂治道之詳。

寶訓十五卷　《日曆》既成，詹同等又請分類更輯聖政爲書，凡五卷。其後史官隨類增至十五卷。

成祖實録一百三十卷　寶訓十五卷　楊士奇等修。

仁宗實録十卷　寶訓六卷　蹇義等修。

宣宗實録一百十五卷　寶訓十二卷　楊士奇等修。

英宗實録三百六十一卷　成化元年，陳文等修。起宣德十年正月，訖天順八年正月，首尾三十年。附景泰帝事蹟於中，凡八十七卷。**寶訓十二卷**　與實録同修。

憲宗實録二百九十三卷　寶訓十卷　劉吉等修。

孝宗實録二百二十四卷　正德元年，劉健、謝遷等修。未幾，健、遷皆去位，焦芳等續修。**寶訓十卷**　與實録同修。

武宗實録一百九十七卷　寶訓十卷　費宏等修。

睿宗實録五十卷　寶訓十卷　嘉靖四年，大學士費宏言："獻皇帝嘉言懿行，舊邸必有成書，宜取付史館纂修。"從之。

世宗實録五百六十六卷　寶訓二十四卷　隆慶中，徐階等修，未竣。萬曆五年，張居正等續修，成之。

穆宗實録七十卷　寶訓八卷　張居正等修。

神宗實錄五百九十四卷　實訓二十六卷 溫體仁等修。

光宗實錄八卷 天啓三年，葉向高等修成，有熹宗御製序。既而霍維華等改修，未
　及上，而熹宗崩。至崇禎元年，始進呈向高原本，并貯皇史宬。

熹宗實錄八十四卷 溫體仁等修。

洪武聖政記二卷

永樂聖政記三卷

永樂年表四卷

洪熙年表二卷

宣德年表四卷

儲巏　皇明政要二十卷

鄭曉　吾學編六十九卷

雷禮　大政記三十六卷

鄧元錫　明書四十五卷

夏浚　皇明大紀三十六卷

王世貞　國朝紀要十卷　天言彙錄十卷

陳建　皇明通紀二十七卷　續通紀十卷

薛應旂　憲章錄四十六卷

沈越　嘉隆聞見紀十二卷

唐志大　高廟聖政記二十四卷

孫宜　國朝事蹟一百二十卷

吳朴　洪武大政記二十卷

吳瑞登　明繩武編三十四卷　嘉隆憲章錄二十卷

黃翔鳳　嘉靖大政編年紀一卷　嘉靖大政類編二卷

陳翼飛　史待五十卷

何喬遠　名山藏三十七卷

朱國禎　史概一百二十卷　輯皇明紀傳三十卷

支大倫　永昭二陵編年信史六卷

尹守衡　史竊一百七卷

朱睦㮮　聖典三十四卷

茅維　嘉靖大政記二卷

吳士奇　皇明副書一百卷

譚希思　皇明大紀纂要六十三卷

王大綱　皇明朝野紀畧一千二百卷

雷叔聞　國史四十卷

周永春　政紀纂要四卷

張銓　國史紀聞十二卷

馮復京　明右史畧三十卷

陳仁錫　皇明世法錄九十二卷

沈國元　天啓從信錄三十五卷

江旭奇　通紀集要六十卷

談遷　國榷一百卷　已上明史。

元史二百十二卷　洪武中，宋濂等修。

續宋元資治通鑑綱目二十七卷　成化中，商輅等修。

歷代通鑑纂要九十二卷　弘治中，李東陽等修。

周定王橚　甲子編年十二卷

王禕　大事記續編七十七卷

梁寅　宋史畧四卷　元史畧四卷

朱右　元史補遺十二卷

張九韶　元史節要二卷

胡粹中　元史續編七十七卷

丘濬　世史正綱三十二卷

金濂　諸史會編一百十二卷

南軒　資治通鑑綱目前編二十五卷

柯維騏　宋史新編二百卷

唐順之　史纂左編一百四十二卷　右編四十卷

薛應旂　宋元資治通鑑一百五十七卷　甲子會紀五卷

王宗沐　宋元資治通鑑六十四卷

安都　十九史節定一百七十卷

吳琬　史類六百卷

鄧元錫　函史上編九十五卷　下編二十卷

許誥　綱目前編三卷

魏國顯　史書大全五百十二卷

黃佐　通曆三十六卷

姜寶　稽古編大政記綱目八卷　資治上編大政記綱目四十
　卷　下編大政記綱目三十二卷

邵經邦　學史會同三百卷　弘簡録二百五十卷

楊寅冬　曆代史彙二百四十卷

饒伸　學海君道部二百三十四卷

徐師曾　世統紀年六卷

吳繼安　帝王曆祚考八卷

馮琦　宋史紀事本末二十八卷

張溥　宋史紀事本末一百九卷　元史紀事本末二十七卷

陳邦瞻　元史紀事本末六卷

湯桂禎　戰國紀年四十六卷

嚴衍　資治通鑑補二百七十卷　已上通史。

　　右正史類，一百十部，一萬二百三十二卷。

劉宸^①　國初事蹟一卷

---

　　① “宸”，據嵇璜《續文獻通考》卷一六三、《國史經籍志》卷一、《四庫全書總目》卷
五三、《借月山房彙鈔》本和《澤古齋重鈔》本《國初事蹟》當作“辰”。

俞本　記事録二卷

王禕　造邦勳賢暑一卷

劉基　禮賢録一卷　翊運録二卷

楊儀　隴起雜事一卷① 紀張士誠、韓林兒、徐壽輝事。

楊學可　明氏實録一卷 明玉珍事。

何榮祖　家記一卷 何真子，紀真事。

張紞　雲南機務鈔黃一卷

夏原吉　萬乘肇基録一卷

卞瑮　興濠開基録一卷

陸深　平元録一卷

童承敘　平漢録一卷

黃標　平夏録一卷

姚淶　驅除録一卷

蔡於轂　開國事暑十卷

孫宜　明初暑二卷

邵相　皇明啓運録八卷

梁億　洪武輯遺二卷

范守己　造夏暑二卷

戴重　和陽開天記一卷

錢謙益　開國羣雄事暑十五卷　太祖實録辨証三卷 已上皆紀洪
武時事。

袁祥　建文私記一卷

孫文　國史補遺六卷

姜清　祕史一卷

黃佐　革除遺事六卷

---

　① “隴”，據《明史稿》卷九十四《藝文志》、《千頃堂書目》卷五當作“壟”。

張芹　建文備遺録二卷

何孟春　續備遺録一卷

馮汝弼　補備遺録一卷

許相卿　革朝志十卷

朱睦㮮　遜國記二卷

屠叔方　建文朝野彙編二十卷

朱鷺　建文書法儗四卷

陳仁錫　壬午書二卷

曹參芳　遜國正氣紀九卷

周遠令　建文紀三卷　已上紀建文時事。

都穆　壬午功臣爵賞録一卷　別録一卷

袁裒　奉天刑賞録一卷

郁袞　順命録一卷

楊榮　北征記一卷

金幼孜　北征前録一卷　後録一卷

黃福　安南事宜一卷

丘濬　平定交南録一卷

楊士奇　三朝聖諭録三卷　西巡扈從紀行録一卷　已上紀永樂、洪
熙、宣德時事。

袁彬　北征事蹟一卷

楊銘　正統臨戎録一卷　北狩事蹟一卷

李實　使北録一卷

劉定之　否泰録一卷

劉濟　革書一卷　塞外無楮，以羊皮書之，故名《革書》。

李賢　天順日録二卷

湯韶　天順實録辨証一卷

張楷　監國曆署一卷

彭時　可齋筆記二卷　_{已上紀正統、景泰、天順時事。}

馬文升　西征石城記一卷　興復哈密記一卷

宋端儀　立齋閒錄四卷

梅純　損齋備忘錄二卷

李東陽　燕對錄二卷

劉大夏　宣召錄一卷

陳洪謨　治世餘聞四卷　_{弘治。}繼世紀聞四卷　_{正德。}

許進　平番始末一卷

朱國祚　孝宗大紀一卷

費宏　武廟初所見事一卷

楊廷和　視草餘錄二卷

王鏊　震澤紀聞一卷　續紀聞一卷　震澤長語二卷　守溪筆
　記二卷

王瓊　雙溪雜記二卷

楊一清　西征日錄一卷　車駕幸第錄二卷

胡世寧　桃源建昌征案　東鄉撫案共十卷

祝允明　九朝野記四卷　江海殲渠記一卷　_{紀劉六、劉七、趙風子事。}

夏良勝　東成錄一卷

謝蕡　後鑒錄三卷　_{已上紀成化、弘治、正德時事。}

世宗　大禮集議四卷　纂要二卷　明倫大典二十四卷　大
　狩龍飛錄二卷

王之垣　承天大志紀錄事實三十卷

費宏　宸章集錄一卷

張孚敬　敕諭錄三卷　諭對錄三十四卷　大禮要畧二卷　欽
　明大獄錄二卷

李時　南城召對錄一卷　文華盛記一卷

夏言　聖駕渡黃河記一卷　記召對廟廷事一卷　扈蹕錄

一卷

嚴嵩　嘉靖奏對録十二卷

毛澄　聖駕臨雍録一卷

陸深　聖駕南巡録一卷　北還録一卷

韓邦奇　大同紀事一卷

孫允中　雲中紀變一卷

蘇祐　雲中事紀一卷

張岳　交事紀聞一卷

翁萬達　平交紀事十卷

江美中　安南來威輯畧三卷

談愷　前後平粵録四卷

王軾　平蠻録二卷

范表①　前後海寇議三卷

鄭茂　靖海紀畧一卷

徐宗魯　松寇紀畧一卷

李日華　倭變志一卷

張鼐　吳淞甲乙倭變志二卷

朱紈　茂邊紀事一卷

趙汝謙　平黔三記一卷

徐學謨　世廟識餘録二十六卷

高拱　邊畧五卷

劉應箕　款塞始末一卷

方逢時　平惠州事一卷

林庭機　平曾一本敘一卷

---

①　“范”，嵇璜《續文獻通考》卷一八三、《國史經籍志補》、《四庫全書總目》卷一〇〇、《借月山房彙鈔》本《海寇議》均作“萬”。

查志隆　安慶兵變一卷

曹子登　甘州紀變一卷

王尚文　征南紀畧一卷

張居正　召對紀事一卷

申時行　召見紀事一卷

王錫爵　召見紀事一卷

趙志皋　召見紀事一卷

方從哲　乙卯召對錄三卷

董其昌　萬曆事實纂要三百卷

顧憲成　寱言寐言一卷

陳惟之　乞停礦稅疏圖一卷

郭子章　黔中止榷記一卷　西南三征記一卷　黔中平播始末
　三卷

王禹聲　郢事紀畧一卷 紀楚中稅監激變事。

郭正域　楚事妖書始末一卷

朱賡　勘楚始末一卷

蔡獻臣　勘楚紀事一卷

瞿九思　萬曆武功錄十四卷

諸葛元聲　兩朝平攘錄五卷

茅瑞徵　萬曆三大征考五卷 哱氏、關白、楊應龍。

曾偉芳　寧夏紀事一卷

宋應昌　朝鮮復國經畧六卷

蕭應宮　朝鮮征倭紀畧一卷

王士琦　封貢紀畧一卷

李化龍　平播全書十五卷

楊寅秋　平播錄五卷

沈德符　野獲編八卷

李維禎①　庚申紀事一卷

張瀚　庚申紀事一卷　已上紀嘉靖、隆慶、萬曆時事。

三朝要典二十四卷　天啓中，顧秉謙等修。崇禎初，詔毀之。

葉茂才　三案記一卷

蔡士順　傃菴野鈔十一卷

李橒　全黔紀畧一卷

張鍵　平藺紀事一卷

李遜之　三朝野記七卷

蔣德璟　愨書十卷

李日宣　枚卜始末一卷

楊士聰　玉堂薈記四卷

孫承宗　督師全書一百卷

楊嗣昌　督師紀事五十卷

夏允彝　幸存録一卷

夏完淳　續幸存録一卷

吳偉業　綏寇紀畧十二卷

文秉　先撥志始六卷　烈皇小識四卷

彭孫貽　流寇志十四卷

李清　南渡録二卷　已上紀天啓、崇禎時事。

黃瑜　雙槐歲鈔十卷　起洪武，訖成化中事。

倫以訓　國朝彝憲二十卷

孫宜　國朝事迹一百二十卷

高岱　鴻猷録十六卷

鄭曉　今言四卷　徵吾録二卷　吾學編餘一卷

---

①　“禎”，據《明史》卷二八八《李維禎傳》、《明史稿》卷九十四《藝文志》、《千頃堂書目》卷五、《四庫全書總目》卷八九當作“楨”。

潘恩　美芹録二卷

袁褧　皇明獻實二十卷

孫世芳①　磯園稗史二卷

李先芳　安攘新編三十卷

王世貞　弇山堂別集一百卷　識小録二十卷　少陽叢談二
　十卷　明野史彙一百卷　萬曆中，董復表彙纂諸集爲《弇州史料》，凡一
　百卷。

鄧球　泳化類編一百三十六卷　雜記二卷

高鳴鳳　今獻彙言二十八卷

何棟如　皇明四大法十二卷

王禪　國朝史畧四十五卷　別集二卷

于慎行　穀山筆麈十八卷

黃汝良　野紀矇搜十二卷　起洪、永，訖嘉、隆。

曹育賢　皇明類考二十二卷

鄒德泳　聖朝泰交録八卷

張萱　西園聞見録一百六卷

吳士奇　徵信編五卷　考信編二卷

項鼎鉉　名臣寧攘編三十卷

范景文　昭代武功録十卷　已上統紀明代事。

寧獻王權　漢唐祕史二卷　洪武中，奉敕編次。

吳源　至正近記二卷

權衡　庚申外史二卷

楊循吉　遼金小史九卷

楊慎　滇載記一卷

倪輅　南詔野史一卷

---

①　"世"，據《涵芬樓秘笈》本《磯園稗史》當作"繼"。

包宗吉　古史補二百卷

袁祥　新舊唐書折衷二十四卷

程敏政　宋紀受終考一卷

李維楨　韓范經畧西夏紀一卷

王士騏　符秦書十五卷

李廷機　宋賢事彙二卷

姚士粦　後梁春秋十卷

胡震亨　靖康盜鑒録一卷

陳霆　唐餘紀傳二十一卷

錢謙益　北盟會編鈔三卷　已上紀前代事。

　　右雜史類，二百十七部，二千二百四十四卷。[①]

楊維楨　史義拾遺二卷

范理　讀史備忘八卷

陳濟　通鑑綱目集覽正誤五十九卷

趙弼　雪航睿見十卷[②]

李裕　分類史鈔二十二卷

呂柟　史約三十七卷

許誥　宋元史闡幽三卷

張寧　讀史録六卷

李浩　通鑑斷義七十卷

邵寶　學史十三卷

---

　　① 中華本校曰：“本類録自《明史稿》志七五《藝文志》，删去李文鳳《月山叢談》四卷、焦竑《玉堂叢語》八卷，但此總部數及卷數照抄《明史稿》而未減，應減去二部十二卷。”

　　② “睿”，據《千頃堂書目》卷五、稽璜《續文獻通考》卷一六七、《四庫全書總目》卷八九當作“膚”。

王峯　通鑑綱目發微三十卷

張時泰　續通鑑綱目廣義十七卷

卜大有　史學要義四卷

周山　師資論統一百卷

鄭曉　删改史論十卷

柯維騏　史記考要十卷

王洙　宋元史質一百卷

戴璟　漢唐通鑑品藻三十卷

鍾芳　續古今紀要十卷

歸有光　讀史纂言十卷

李維楨　南北史小識十卷

萬廷言　經世要畧二十卷

張之象　太史史例一百卷

徐明勳　史衡二十卷

于慎行　讀史漫錄十四卷

李贄　藏書六十八卷　續藏書二十七卷

馬惟銘　史書纂畧一百卷

趙惟寰　讀史快編六十卷

謝肇淛　史觿二十一卷

吳無奇　史裁二十六卷

張溥　史論二編十卷

楊以任　讀史四集四卷

馮尚賢　史學彙編十二卷

　　　右史鈔類，三十四部，一千四十三卷。

太祖　御製永鑑錄一卷　訓親藩。紀非錄一卷　訓周、齊、潭、魯諸王。

祖訓錄一卷　洪武中編集，太祖製序，頒賜諸王。

祖訓條章一卷　封建王國之制。

宗藩昭鑑録五卷　洪武中，陶凱等編集。

歷代公主録一卷　洪武中編集。

世臣總録二卷

爲政要録一卷

醒貪簡要録二卷

武士訓戒録一卷

臣戒録一卷　俱洪武中頒行。

存心録十八卷　吳沈等編集。

省躬録十卷　劉三吾等編集。

精誠録三卷　吳沈等編集。

國朝制作一卷　王叔銘等編集。

宣宗　御製歷代臣鑑三十七卷　外戚事鑑五卷

萬曆中　重修大明會典二百二十八卷　條例全文三十卷
　增修條例備考二十六卷

大明會要八十卷　太祖開國時事，凡三十九則，不知撰人。

李賢　鑑古録一卷

夏寅　政鑑三十卷

顧璘　稽古政要十卷

王圻　續文獻通考二百五十四卷

鄧球　續泳化編十七卷

鄒泉　古今經史格要二十八卷

黄光昇　昭代典則二十八卷

周子義　國朝故實二百卷　一名《國朝典故備遺》。

張居正　帝鑑圖説六卷

焦竑　養正圖解二卷

勞堪　皇明憲章類編四十二卷

徐學聚　國朝典彙二百卷

唐瑤　歷代志畧四卷

張銓　鑑古錄六卷

喬懋敬　古今廉鑑八卷

馮應京　皇明經世實用編二十八卷

鄧士龍　國朝典故一百卷

黃溥　皇明經濟錄十八卷

徐奮鵬　古今治統二十卷

朱健　古今治平畧三十六卷

余繼登　皇明典故紀聞十八卷

宗藩條例二卷　李春芳等輯。

戚元佐　宗藩議一卷

馮柯　歷代宗藩訓典十二卷

張志淳　諡法二卷

何三省　帝后尊諡紀畧一卷

鮑應鼇　皇明臣諡彙考二卷

葉來敬　皇明諡考三十八卷

郭良翰　皇明諡紀彙編二十五卷

鄭汝璧　功臣封考八卷

陸深　科場條貫一卷

張朝瑞　皇明貢舉考八卷　明歷科殿試錄七十卷　歷科會試錄七十卷

汪鯨　大明會計類要十二卷

張學顏　萬曆會計錄四十三卷

趙官　後湖志十一卷　後湖黃志六卷

劉斯潔　太倉考十卷

王儀　吳中田賦錄五卷

徐民式　三吳均役全書四卷

婁志德　兩浙賦役全書十二卷

何士晉　厰庫須知十二卷

邵寶　漕政録十八卷

席書　漕船志一卷　漕運録二卷

楊宏　漕運志四卷

王在晉　通漕類編九卷

陳仁錫　漕政考二卷

崔旦　海運編二卷

劉體仁　海道漕運記一卷

王宗沐　海運志二卷

梁夢龍　海運新考三卷

史繼偕　皇明兵志考三卷

侯繼高　全浙兵志考四卷

王士琦　三雲籌俎考四卷

何孟春　軍務集録六卷

閻世科　計遼始末四卷

蔡鼎　邊務要畧十卷

周文郁　邊事小紀六卷

王士騏　馭倭録八卷

方日乾　屯田事宜五卷

楊守謙　屯田議一卷

張抱赤　屯田書一卷

沈岱①　南船記四卷

倪涷　船政新書四卷

---

① "岱",據《四庫全書總目》卷八四當作"啓"。

朱廷立　鹽政志十卷

史啓哲　兩淮鹽法志十二卷

王圻　兩浙鹽志二十四卷

冷宗元　長蘆鹺志七卷

李開先　山東鹽法志四卷

詹榮　河東運司志十七卷

謝肇淛　八閩鹺政志十六卷

李澐　粵東鹽政考二卷

陳善　黑白鹽井事宜二卷

傅浚　鐵冶志二卷

胡彥　茶馬類考六卷

陳講　茶馬志四卷

徐彥登　歷朝茶馬奏議四卷

王宗聖　榷政記十卷

薛僑　南關志六卷

許天贈　北關志十二卷

林希① 　荒政叢言一卷

賀燦然　備荒議一卷

俞汝爲　荒政要覽十卷

　　右故事類，一百六部，二千一百二十一卷。

諸司職掌十卷　洪武中，瞿善等編。

憲綱一卷　洪武中，御史臺進。

官制大全十六卷

----

　　① 　據《四庫全書總目》卷八二、《墨海金壺》本、《守山閣叢書》本和《瓶華書屋叢書》本《荒政叢書》，"希"字下當有"元"字。

品級考五卷

宣宗　御製官箴一卷

郭子章　官釋十卷

李日華　官制備考二卷

鄭曉　直文淵閣表一卷　典銓表一卷

呂本　館閣類錄二十二卷

雷禮　列卿表一百三十九卷

王世貞　公卿表二十四卷

李維楨　進士列卿表二卷

徐鑑　續列卿表十卷

許重熙　殿閣部院大臣表十六卷

范景文　大臣譜十六卷

黃尊素　隆萬列卿記二卷

陳盟　崇禎閣臣年表一卷　内閣行畧一卷

廖道南　殿閣詞林記二十二卷

黃佐　翰林記二十卷

張位　詞林黃故一卷　史職議一卷

陳沂　翰林志一卷

焦竑　詞林歷官表三卷

董其昌　南京翰林志十二卷

周應賓　舊京詞林志六卷

劉昌　南京詹事府志二十卷

李默　吏部職掌四卷

張瀚　吏部職掌八卷

鄭汝璧　封司典故八卷

王士騏　銓曹紀要十六卷

宋啓明　吏部志四十卷

汪宗伊　南京吏部志二十卷　留銓志餘二卷

徐大相　銓曹儀注五卷

王崇慶　南京户部志二十卷

謝彬　南京户部志二十卷

宋端儀　祠部典故四卷

李廷機　春官要覽六卷

李化龍　邦政條例十卷

譚綸　軍政條例類考七卷

傅鸚　軍政類編二卷

陳夢鶴　武銓邦政二卷

李邦華　南樞新志四卷

范景文　南樞志一百七十卷

俞汝爲　南京兵部車駕司職掌八卷

張可大　南京錦衣衞志二十卷

應廷育　刑部志八卷

龐嵩　刑曹志四卷

劉文徵　刑部事宜十卷

陳公相　刑部文獻考八卷

來斯行　刑部獄志四十卷

江山麗　南京刑部志二十六卷

曾同亨　工部條例十卷

周夢暘　水部備考十卷

劉振　工部志一百三十九卷

王廷相　申明憲綱録一卷

劉宗周　憲綱規條一卷

傅漢　風紀輯覽四卷

符驗　西臺雜記八卷

何出光　蘭臺法鑑録二十三卷

徐必達　南京都察院志四十卷

朱廷益　通政司志六卷

夏時正　太常志十卷

陳慶　太常志十六卷

盧維禎　太常志十六卷

呂鳴珂　太常紀二十二卷

倪嵩　太常典禮總覽六卷

屠本畯　太常典録六卷

沈若霖　南京太常寺志四十卷

顧存仁　太僕志十四卷

楊時喬　馬政記十二卷

李日宣　太僕志二十二卷

雷禮　南京太僕寺志十六卷

徐必達　光禄寺志二十卷

韓鼎　尚寶司實録一卷

潘焕宿　南京尚寶司志二十卷

周崑　六科仕籍六卷

蕭彦　掖垣人鑑十七卷

國子監規一卷　録洪武以來訓諭。

刑讓　國子監志二十二卷

謝鐸　國子監續志十一卷

吳節　南雍舊志十八卷

黃佐　南雍志二十四卷

王材　南雍申教録十五卷

崔銑　國子監條例類編六卷

盧上銘　辟雍紀事十五卷

汪俊　四夷館則例二十卷　四夷館考二卷

楊樞　上林記八卷

王象雲　上林彙考五卷

焦竑　京學志八卷

　　右職官類，九十三部，一千四百七十九卷。

集禮五十卷　<small>洪武中，梁寅等纂修。初係寫本，嘉靖中，詔禮部校刊。</small>

孝慈録一卷　<small>宋濂等考定喪服古制爲是書，太祖有序。</small>

行移繁減體式一卷　<small>洪武中，以元季官府文移紛冗，詔廷臣減繁，著爲定式。</small>

稽制録一卷　<small>編緝功臣服舍制度。</small>

禮制集要一卷　<small>官民服舍器用等式。</small>

稽古定制一卷　<small>頒示功臣。</small>

禮儀定式一卷　教民榜文一卷　鄉飲酒禮圖式一卷　<small>俱洪武中頒行。</small>

祭祀禮儀六卷　郊壇祭享儀注一卷　<small>皆明初定式。</small>

巡狩事宜一卷　<small>永樂中儀注。</small>

瑞應圖説一卷　<small>永樂中編次。</small>

憲宗　幸學儀注一卷

世宗　御製忌祭或問一卷　祀儀成典七十一卷　<small>嘉靖間更定儀文。</small>

郊祀通典二十七卷　<small>夏言等編次。</small>

乘輿冕服圖説一卷　<small>嘉靖間考古衣冠之制。張璁爲注説。</small>

武弁服制圖説一卷　<small>親征冠服之制。張璁爲注説。</small>

玄端冠服圖説一卷　<small>燕居冠服之制。張璁爲注説。</small>

保和冠服圖説一卷　<small>宗室冠服之制。張璁爲注説。</small>

圜丘方澤總圖二卷

圜丘方澤祭器樂器圖二卷

朝日夕月壇總圖二卷

朝日夕月壇祭器樂器圖二卷

神祇社稷雩壇總圖三卷

太廟總圖一卷

太廟供器祭器圖一卷

大享殿圖一卷

大享殿供器祭器圖一卷

天壽山諸陵總圖一卷

泰神殿圖一卷

帝王廟總圖二卷

皇史宬景神等殿圖二卷

圓明閣陽雷軒殿宇圖一卷

沙河行宮圖一卷　已上俱嘉靖間制式。

皇明典禮一卷　萬曆中頒。

朝儀二卷

車駕巡幸禮儀一卷

親王昏禮儀注一卷

昏禮傳制遣官圖一卷

陵寢儀式一卷

王國儀注一卷

儀注事例一卷

鴻臚儀注二卷

出使儀注二卷

射禮儀注一卷　已上俱萬曆間制式。

禮書四十一卷　不知撰人，凡十七冊。目録一，吉禮五，軍禮、凶禮共一，喪禮三，制度一，考正一，官制二，公式二，雜禮一。

大明禮制二十五卷　不知撰人。

嘉靖祀典十七卷　不知撰人。

朱國祚　冊立儀注一卷

皇甫濂　藩府政令一卷

郭正域　皇明典禮志二十卷

朱勤美　王國典禮八卷

謝鐸　祭禮儀注二卷

羅青霄　儀注輯録一卷　<small>郡邑慶賀祭祀諸儀。</small>

俞汝楫　禮儀志一百卷

　　　右儀注類，五十七部，四百二十四卷。

大明律三十卷　<small>洪武六年，命刑部尚書劉惟謙詳定。篇目皆準唐律，合六百有六條。九年復釐正十有三條，餘仍故。</small>

更定大明律三十卷　<small>洪武二十八年，命詞臣同刑官參考比年律條，以類編附，凡四百六十條。</small>

太祖　御製大誥一卷　大誥續編一卷　大誥三編一卷　大誥武臣一卷　武臣敕諭一卷

昭示姦黨録一卷　第二録一卷　第三録三卷　<small>已上三《録》皆胡黨獄詞。</small>

逆臣録五卷　<small>藍黨獄詞。</small>

彰善癉惡録三卷　癉惡續録一卷　集犯諭一卷　戒敕功臣鐵榜一卷　<small>已上皆洪武中頒。</small>

何廣　律解辨疑三十卷

鄭節　續真西山政經二卷

薛瑄　從政録一卷

盧雍　祥刑集覽二卷

何文淵　牧民備用一卷　司刑備用一卷

陳廷璉　大明律分類條目四卷

顧應祥　重修問刑條例七卷

劉惟謙　唐律疏義十二卷

張楷　大明律解十二卷

應檟　大明律釋義三十卷

高舉　大明律集解附例三十卷

范永鑾　大明律例三十卷

陳璋　比部招擬二卷

段正　柏臺公案八卷

應廷育　讀律管窺十二卷

雷夢麟　讀律瑣言三十卷

孫存　大明律讀法書三十卷

王樵　讀律私箋二十四卷

林兆珂　註大明律例二十卷

王之垣　律解附例八卷

舒化　問刑條例七卷　刑書會據三十卷

王肯堂　律例箋解三十卷

歐陽東鳳　闡律一卷

熊鳴岐　昭代王章十五卷

吳訥　祥刑要覽二卷

鄒元標　筮仕要訣一卷

蘇茂相　臨民寶鏡十六卷

陳龍正　政書二十卷

曹璜　治術綱目十卷

　　右刑法類，四十六部，五百九卷。

開國功臣錄三十一卷　黃金編次，自徐達至指揮李觀，凡五百九十一人。

謝鐸　名臣事畧二十卷　洪武至成化時人。

彭韶　名臣錄贊二卷

楊廉　名臣言行録四卷　理學名臣言行録二卷

徐紘　名臣琬琰録五十四卷

徐咸　名臣言行録前集十二卷　後集十二卷

王道　名臣琬琰録二卷　續録二卷

張芹　備遺録一卷

何孟春　續遺録一卷

何喬新　勳賢琬琰集二卷

唐龍　康山羣忠録一卷　二忠録二卷 紀王禕、吳雲事。

沈庭奎　名臣言行録新編三十四卷

楊豫孫　補輯名臣琬琰録一百十卷

雷禮　閣臣行實八卷　列卿記一百六十五卷 起洪武，訖嘉靖。禮子映補隆慶一朝。

王世貞　嘉靖以來首輔傳八卷　名卿紀蹟六卷

吳伯與　內閣名臣事畧十六卷

薛應旂　皇明人物考七卷 鄭以偉註。

唐樞　國琛集二卷

史繼偕　越章六卷 明代八閩人傳。

顧璘　國寶新編一卷

項篤壽　今獻備遺四十二卷

凌迪知　名臣類苑四十六卷

錢薇　名臣事實三十卷

耿定向　先進遺風二卷

李廷機　閣臣録六卷

焦竑　國史獻徵録一百二十卷 《經籍志》作三百六十卷。**遜國忠節録八卷**

唐鶴徵　輔世編六卷　續編五卷

徐即登　建文諸臣録二卷

童時明　昭代明良録二十卷

劉夢雷　名臣考四卷

林塾　重輯名臣録二卷

朱謀㙔　藩獻記四卷

朱勤美　公族傳畧二卷

過庭訓　直省分郡人物考一百十五卷

王兆雲　詞林人物考十六卷

張璽　明尚友集十六卷

江盈科　明臣小傳十六卷

瞿汝説　臣畧纂聞十二卷

錢士升　皇明表忠録二卷

余翹　池陽三忠傳一卷　紀黃觀、金焦、陳敬宗事。

馮復京　先賢事畧十卷

李裁　明臣論世四卷

林之盛　應諡名臣傳十二卷

杜瓊　紀善録一卷

陳沂　畜德録一卷

蘇茂相　名臣類編二卷

史旌賢　維風編二卷

鄒期禎　東林諸賢言行録五卷　已上皆紀明代人物。

相鑒二十卷　洪武十三年罷中書省,詔儒臣採歷代史所載相臣,賢者自蕭何至文天祥
八十二人,爲傳十六卷;不肖者自田蚡至賈似道二十六人,爲傳四卷。太祖製序。

外戚傳三卷　永樂中,編輯漢以後可爲法戒者。成祖製序。

古今列女傳三卷　永樂中,解縉等編。

宋濂　唐仲友補傳一卷　浦江人物記二卷

胡廣　文丞相傳一卷

朱右　李鄴侯傳二卷

方槐生　莆陽人物志三卷

謝應芳　懷古録三卷　思賢録六卷

劉徵　金華名賢傳三卷

丁元吉　陸丞相蹈海録一卷

賈斌　忠義集四卷

尹直　南宋名臣言行録十六卷

楊循吉　吳中往哲記一卷

謝鐸　尊鄉録十卷

董遵　金華淵源録二卷

金江　義烏人物志二卷

金賁亨　台學源流二卷

王佐　東嘉先哲録二十卷

南逢吉　越中述傳四卷

周璟　昭忠録五卷

程敏政　宋遺民録十五卷

方鵬　崑山人物志八卷

姜綱　漢名臣言行録八卷

魏顯國　歷代相臣傳一百六十八卷　守令傳二十四卷　儒林傳
　二十卷

陳鎬　金陵人物志六卷

王賓　吳下名賢紀録一卷

龔守愚　臨江先哲言行録二卷

劉元卿　江右歷代名賢録二卷

黃佐　廣州人物志二十四卷

劉有光　麻沙劉氏忠賢傳四卷

孫承恩　歷代聖賢像贊六卷

楊時偉　諸葛武侯全書十卷

王承裕　李衞公通纂四卷

戴銑　朱子實紀十二卷

祝允明　蘇材小纂六卷

張泉　吳中人物志十三卷

袁袠　吳中先賢傳十卷

劉鳳　續吳先賢贊十五卷

歐大任　百粵先賢志四卷

耿定向　二孝子傳一卷

楊俊民　河南忠臣集八卷　烈女集五卷

桑喬　節義林六卷

王崶　歷代忠義録十八卷

鄒泉　人物尚論編二十卷

鄭瑄　唐忠臣睢陽録二卷

黃省曾　高士傳頌二卷

皇甫濂　逸民傳二卷

皇甫涍　續高士傳十卷

薛應旂　隱逸傳二卷　高士傳四卷

黃姬水　貧士傳二卷

錢一本　遯世編十四卷

李默　建寧人物志三卷

呂維祺　節孝義忠集四卷

徐標　忠孝廉節集四十卷

顧憲成　桑梓録十卷

李廷機　漢唐宋名臣録五卷

王鴻儒　掾曹名臣録一卷

丁明登　古今長者録八卷

朱睦㮮　中州人物志十六卷

朱謀㙔　豫章耆舊傳三卷

朱常淓　古今宗藩懿行考十卷

郭良翰　歷代忠義彙編二十六卷

屠隆　義士傳二卷

沈堯中　高士彙林二卷

顧樞　古今隱居錄三十卷

陳懋仁　壽者傳三卷

陳繼儒　邵康節外紀四卷　逸民史二十二卷

璩之璞　蘇長公外紀十二卷

徐𤊹　蔡端明別紀十卷

范明泰　米襄陽志林十三卷

徐學聚　兩浙名賢錄五十四卷　外錄八卷

曹學佺　蜀中人物記六卷

郭凝之　孝友傳二十四卷

王道隆　吳興名賢續錄六卷

陳克仕　古今肜史八卷

曹思學　內則類編四卷

顧昱　至孝通神集三十卷

張采　宋名臣言行錄十六卷

夏樹芳　女鏡八卷

潘振　古今孝史十二卷　已上皆紀歷代人物。

　　右傳記類，一百四十四部，一千九百九十七卷。

大明志書　洪武三年，詔儒士魏俊民等類編天下州郡地理形勢、降附顛末爲書，卷亡。

寰宇通志一百十九卷　景泰中修。

一統志九十卷　天順中，李賢等修。

承天大志四十卷　嘉靖中，顧璘修《興都志》二十四卷，世宗以其載獻帝事實，於志體例不合，詔徐階等重修。

桂萼　歷代地理指掌四卷　明輿地指掌圖一卷

羅洪先　增補朱思本廣輿圖二卷

蔡汝楠　輿地畧十一卷

吳龍　郡縣地理沿革十五卷

盧傳印　職方考鏡六卷

張天復　皇輿考十二卷

蔡文　職方鈔十卷

曹嗣榮　輿地一覽十五卷

郭子章　郡縣釋名十六卷　古今郡國名類三卷

項篤壽　考定輿地圖十卷

徐樞　寰宇分合志八卷

曹學佺　一統名勝志一百九十八卷

陸應陽　廣輿記二十四卷

陳組綬　職方地圖三卷

張元陽　方隅武備十六卷　一作《方隅武事考》。

龐迪我　海外輿圖全說二卷

劉崧　北平八府志三十卷　北平事蹟一卷

郭造卿　燕史一百二十卷

劉侗　帝京景物畧八卷

孫國莊①　燕都游覽志四十卷

蔣一䕫②　長安客話八卷

沈應文　順天府志六卷

唐舜卿　涿州志十二卷

---

① "莊"，中華本據《千頃堂書目》卷六、《京師坊巷志》改作"粎"。

② "䕫"，據《千頃堂書目》卷六、《五朝小說大觀》本《長安客話》當作"葵"。

汪浦　薊州志九卷

張欽　保定府志二十五卷

潘恩　祁州志六卷

戴詵　易州志三十卷

樊文深　河間府志二十八卷

廖紀　滄州志四卷

項喬　董子故里志六卷

雷禮　真定府志三十二卷

倪瓚　定州志四卷

曹安　冀州志四卷

陳棐　廣平府志十六卷

宋訥　東郡志十六卷

唐錦　大名府志二十八卷

王崇慶　開州志十卷

張廷綱　永平府志十一卷

陳士元　灤州志十一卷

胡文璧　天津三衛志十卷

馬中錫　宣府志十卷

畢恭　遼東志九卷

李輔　重修遼東志十二卷

洪武京城圖志一卷

陳沂　南畿志六十四卷　金陵世紀四卷　金陵古今圖考
　一卷

顧起元　客座贅語十卷

王兆雲　烏衣佳話八卷

周暉　金陵瑣事八卷　剩錄八卷

留都錄五卷　見國子監書目，不著撰人。

程嗣功　應天府志三十二卷
柳瑛　中都志十卷
袁又新　鳳陽新書八卷
汪應軫　泗州志十二卷
王浩　亳州志十卷
吕景蒙　潁州志二十卷
潘鐙　廬陽志三十卷
楊循吉　廬陽客記一卷
潘塤　淮郡文獻志二十六卷
陳文燭　淮安府志十六卷
高宗本　揚州府志十卷
沈明臣　通州志八卷
張珩　高郵州志三卷
陳奇　泰州志八卷
盧熊　吴邦廣記五十卷
劉昌　蘇州續志一百卷
王鏊　姑蘇志六十卷
劉鳳　續吴録二卷　吴郡考二卷
桑悦　太倉州志十一卷
錢岡　雲間通志十八卷
顧清　松江府志三十二卷
陳繼儒　松江府志九十四卷
謝應芳　毘陵續志十卷
王僎　毘陵志四十卷
張愷　常州府志續集八卷
唐鶴徵　常州府志二十卷
沈敕　荊溪外紀二十五卷

王樵　鎮江府志三十六卷

胡纘宗　安慶府志三十一卷

錘城　太平府志二十卷

李默　寧國府志十卷

王崇　池州府志九卷

朱同　新安志十卷

程敏政　新安文獻志一百卷

何東序　徽州府志二十二卷

程一枝　鄲大事記二卷

李德陽　廣德州志十卷

陳璉　永陽志二十六卷

胡松　滁州志四卷

周斯盛　山西通志三十三卷

張欽　大同府志十八卷

呂柟　解州志四卷

孔天胤　汾州府志八卷

栗應麟　潞安府志十二卷

周弘禴　代州志二卷

陸鈛　山東通志四十卷

黃瓚　齊魯通志一百卷

彭勖　山東郡邑勝覽九卷

李錦　泰安州志十卷

邢侗　武定州志十五卷

于慎行　兗州府志五十二卷

莫聰　濟寧州志十三卷

舒祥　沂州志四卷

李珏　東昌府志九卷

鄧蔽　濮州志十卷

周禧　臨清州志十八卷

馮惟訥　青州府志十八卷

李時颺　少陽乘二十卷

鍾羽正　青州風土記四卷

任順　莒州志六卷

潘滋　登州府志十卷

楊循吉　寧海州志二卷

胡杞忠　萊州府志八卷

郭維洲　平度州志二卷

胡諲　河南總志十九卷

鄒守愚　河南通志四十五卷

李濂　汴京遺迹志二十四卷　祥符文獻志十七卷

朱睦㮮　中州文獻志四十卷　開封府志八卷

邵寶　許州志三卷

馮相　陳州志四卷

吳三樂　鄭州志六卷

徐衍祥　禹州志十卷　萬曆中，鈞州改曰禹州。

李嵩　歸德府志八卷

李孟昜　睢州志一卷

程應登　睢州志七卷

崔銑　彰德府志八卷　一名鄴乘。

郭朴　續志三卷

劉混　磁州志四卷

李遇春　衛輝府志七卷

何瑭　懷慶府志十二卷

喬縉　河南郡志四十二卷

程緒　陝州志十卷

葉珠　南陽府志十卷

張偓　鄧州志六卷

牛孟耕　裕州志六卷

陳鑾　汝寧府志八卷

李本固　汝南新志二十二卷

江貴　信陽州志二卷

張輝　光州志十卷

方應選　汝州志四卷

伍福　陝西通志三十五卷　　成化中修。

馬理　陝西通志四十卷　　嘉靖中修。

何景明　雍大記三十六卷

李應祥　雍勝畧二十四卷

南軒　關中文獻志八十卷

宋廷佐　乾州志二卷

喬世寧　耀州志十一卷

任慶雲　商州志八卷

周易　鳳翔府志五卷

賈鳳翔　鳳翔府歷代事蹟紀畧二卷

范文光　豳風考畧三卷

趙時春　平涼府志十三卷

胡纘宗　漢中府志十卷　　鞏郡記三十卷　　秦州志三十卷

熊爵　臨洮府志十卷

韓鼎　慶陽府志十卷

胡汝礪　寧夏新志八卷

鄭汝璧　延綏鎮志八卷

楊寧　固原州志二卷

李泰　蘭州志十二卷

張最　岷州衞志一卷

李璣　洮州衞志五卷

郭伸　甘州衞志十卷

朱捷　河州志四卷

包節　陝西行都司志十二卷

孟秋　潼關衞志十卷

王崇古　莊浪漫記八卷

薛應旂　浙江通志七十二卷

夏時正　杭州府志六十四卷　成化中修。

陳善　杭州府志一百卷　外志一卷　全郡山川原委。武林風俗畧一卷

吳瓚　武林紀事八卷

柳琰　嘉興府志三十二卷

李日華　檇李叢談四卷

江翁儀　湖州府志二十四卷

徐獻忠　吳興掌故集十七卷

江一麟　安吉州志八卷

李德恢　嚴州府志二十三卷

吳堂　富春志六卷

徐與泰　金華文獻志二十二卷

吾㕙　衢州府志十四卷

何鏜　括蒼志五十五卷　括蒼彙紀十五卷

樓公璩　括蒼志補遺四卷

司馬相　越郡志畧十卷

張元忭　紹興府志六十卷

李堂　四明文獻志十卷

張時徹　寧波府志四十二卷

范理　天台要畧八卷

謝鐸　赤城新志二十三卷

王啓　赤城會通記二十卷

李漸　三台文獻志二十三卷

王瓚　溫州府志二十三卷

林庭㭿　江西通志三十七卷

王宗沐　江西大志八卷

趙秉忠　江西輿地圖説一卷

王世懋　饒南九三郡輿地圖説一卷

郭子章　註豫章古今記一卷　豫章雜記八卷　廣豫章災祥
　記六卷

盧廷選　南昌府志五十卷

江汝璧　廣信府志二十卷

王時槐　吉安府志二十六卷

郭子章　吉志補二十卷

熊相　瑞州府志十四卷

陳定　袁州府志九卷

余文龍　贛州府志二十卷

虞愚　虔臺志十二卷

談愷　虔臺續志五卷

魏裳　湖廣通志九十八卷

廖道南　楚紀六十卷

陳士元　楚故畧二十卷

郭正域　武昌府志六卷

朱衣　漢陽府志三卷

曹璘　襄陽府志二十卷

謝灘　均州志八卷

顏木　隨州志二卷

舒旌　黃州府志十卷

甘澤　蘄州志九卷

王寵懷　荆州府志十二卷

張春　夷陵州志十卷

劉璣　岳州府志十卷

張治　長沙府志六卷

陸東　寶慶府志五卷

楊佩　衡州府志九卷

朱麟　常德府志二卷

胡靖　沅州志七卷

姚昺　永州府志十卷

林球　荆門州志十卷

童承敘　沔陽州志十八卷

周紹稷　鄖陽府志二十一卷

王心　郴州志六卷

黃仲昭　八閩通志八十七卷　邵武府志二十五卷

王應山　閩大記五十五卷　閩都記三十二卷

何喬遠　閩書一百五十四卷

王世懋　閩部疏一卷

陳鳴鶴　閩中考一卷　晋安逸志三卷

林燫　福州府志三十六卷

林材　福州府志七十六卷

周瑛　興化府志五十四卷

鄭岳　莆陽文獻志七十五卷

黃鳳翔　泉州府志二十四卷

何炯　清源文獻志八卷

陳懋仁　泉南雜記二卷

徐鑾　漳州府志三十八卷

劉璵　建寧府志六十卷

游居敬　延平府志三十四卷

張大光　福寧州志十六卷

王元正　四川總志八十卷

楊慎　全蜀藝文志六十四卷

杜應芳　補蜀藝文志五十四卷

郭棐　四川通志三十六卷　夔州府志十二卷　夔記四卷

曹學佺　蜀漢地理補二卷　蜀郡縣古今通釋四卷　蜀中風
　　土記四卷　方物記十二卷

彭韶　成都志二十五卷

周洪謨　叙州府志十二卷

金光　涪州志二卷

陳嘉言　嘉州志十卷

余承勛　西眉郡縣志十卷

戴璟　廣東通志七十二卷

郭棐　粵大記三十二卷　嶺南名勝志十六卷

謝肇淛　百粵風土記一卷

張邦翼　嶺南文獻志十二卷　補遺六卷

馬敭　南粵概四卷

黃佐　廣州府志二十二卷　香山志八卷

鄭敬甫　惠大記六卷

郭春①　潮州府志八卷

---

①　據《千頃堂書目》卷七，"春"字下當有"震"字。

郭子章　潮中雜記十二卷

符錫　韶州府志十卷

葉春及　肇慶府志二十卷

王佐　瓊臺外紀五卷　珠崖録五卷

顧玠　海槎餘録一卷

張翊　厓門新志十八卷

周孟中　廣西通志六十卷

魏濬　西事珥八卷　嶠南瑣記二卷

陳璉　桂林志三十卷

張鳴鳳　桂故八卷　桂勝十四卷

謝少南　全州志七卷

黨緒　思恩府志四卷

田秋　思南府志八卷

郭棐　右江大志十二卷

雲南志書六十一卷　洪武十四年既平雲南，詔儒臣考定爲書。

李元陽　雲南通志十八卷　大理府志十卷

陳善　滇南類編十卷

楊慎　滇程記一卷

彭汝實　六詔紀聞一卷

楊鼐　南詔通記十卷

諸葛元聲　滇史十四卷

吳懋　葉榆檀林志八卷

楊士雲　黑水集証一卷　郡大記一卷

趙瓚　貴州新志十七卷

謝東山　貴陽圖考二十六卷

郭子章　黔記六十卷　黔小志一卷

祁順　石阡府志十卷

袁表　黎平府志九卷

周瑛　興隆衞志二卷

許論　九邊圖論三卷

魏煥　九邊通考十卷

霍冀　九邊圖説一卷

范守己　籌邊圖記三卷

劉效祖　四鎮三關志十二卷

蘇祐　三關紀要三卷

劉昌　兩鎮邊關圖説二卷

翁萬達　宣大山西諸邊圖一卷

楊守謙　大寧考一卷　紫荆考一卷　花馬池考一卷

楊一葵　雲中邊畧四卷

楊時寧·　大同鎮圖説三卷　大同分營地方圖一卷

張雨　全陝邊政考十二卷

劉敏寬　延鎮圖説二卷

楊錦　朔方邊紀五卷

詹榮　山海關志八卷

莫如善　威茂邊政考五卷

方孔炤　全邊畧記十二卷

胡宗憲　籌海圖編十三卷

黃光昇　海塘記一卷

仇俊卿　海録十卷[1]

鄭若曾　萬里海防圖論二卷　江南經畧八卷

王在晉　海防纂要十三卷

---

　　①　據《明史稿》卷九十四《藝文志》、《千頃堂書目》卷八、嵇璜《續文獻通考》卷一七〇，
“海”字下當有“塘”字。

謝廷傑　兩浙海防類考十卷

范淶　續編十卷

李如華　温處海防圖畧二卷

安國賢　南澳小記十二卷　南日寨小記十卷

吳時來　江防考六卷

洪朝選　江防信地二卷

吳道南　國史河渠志二卷

劉隅　治河通考十卷

劉天和　問水集六卷

吳山　治河通考十卷

潘季馴　河防一覽十四卷　宸斷大工録十卷

潘大復　河防榷十二卷

張光孝　西瀆大河志六卷

黃克纘　疏治黃河全書二卷

徐標　河患備考二卷　河防律令二卷

王恕　漕河通志十四卷

王瓊　漕河圖志八卷

車爾正①　漕河總考四卷

顧寰　漕河總録二卷

高捷　漕黃要覽二卷

黃承玄　河漕通考四十五卷　安平鎮志十一卷　北河紀畧
　十四卷

秦金　通惠河志二卷

謝肇淛　北河紀八卷　紀餘四卷

---

① 據《千頃堂書目》卷八、嵇璜《續文獻通考》卷一七〇、《四庫全書總目》卷七五當
删"正"字。

朱國盛　南河志十四卷

陳夢鶴　濟寧閘河類考六卷

徐源　山東泉志六卷

王寵　東泉志四卷　濟寧閘河志四卷

張純　泉河紀畧八卷

胡瓚　泉河史十五卷

張橋　泉河志六卷

馮世雍　呂梁洪志一卷

陳穆　徐州洪志十卷

袁黃　皇都水利一卷

伍餘福　三吳水利論一卷

歸有光　三吳水利錄四卷

許應夔　修舉三吳水利考四卷

王道行　三吳水利考二卷

王圻　東吳水利考十卷

沈啓　吳江水利考四卷

賈應璧　紹興水利圖說二卷

何鏜　名山記十七卷

慎蒙　名山一覽記十五卷

都穆　遊名山記六卷

黃以陞　遊名山記六卷

查志隆　岱史十八卷

宋壽　泰山紀事十二卷

燕汝靖　嵩嶽古今集錄二卷

李時芳　華嶽全集十卷

婁虛心　北嶽編五卷

王濬和　恒嶽志二卷

彭簪　衡岳志八卷

孫存　岳麓書院圖志一卷

太岳太和山志十五卷　洪熙中,道士任自垣編。

葛寅亮　金陵梵剎志五十二卷

張萊　京口三山志十卷

劉大賓①　茅山志十五卷

王鏊　震澤編八卷

盧雍　石湖志十卷

談修　惠山古今考十卷

潘之恒　新安山水志十卷　黃海二十九卷

方漢　齊雲山志七卷

汪可立　九華山志二卷

吳之鯨　武林梵剎志十二卷

田藝蘅②　西湖遊覽志二十四卷

張元忭　雲門志畧五卷

周應賓　普陀山志五卷

僧傳燈　天台山志二十九卷

朱諫　雁山志四卷

桑喬　廬山紀事十二卷

劉俊　白鹿洞書院志六卷

楊亘　武夷山志六卷

黃天全　九鯉湖志六卷

劉中藻　洞山九潭志四卷

---

① “賓”,據《千頃堂書目》卷八、嵇璜《續文獻通考》卷一七一、《四庫全書總目》卷七六當作“彬”。按劉大彬乃元朝延祐年間道士,非明朝人,此條誤收。

② “藝蘅”,據《明史》卷二八七《田汝成傳》、嵇璜《續文獻通考》卷一七一、《國史經籍志》卷三、《四庫全書總目》卷七〇、《武林掌故叢編》本《西湖遊覽志》當作“汝成”。

喬世寧　五臺山志一卷

李應奇　崆峒志二卷

僧德清　曹溪志四卷

左宗郢　麻姑山志十七卷

陳璉　羅浮志十五卷

謝肇淛　支提山志七卷　彭山志十二卷①

楊士奇　北京紀行錄二卷

劉定之　代祀錄一卷

陸深　停驂錄二卷

李東陽　東祀錄三卷

張寧　奉使錄二卷

李思聰　百夷傳一卷　洪武中，出使緬國所紀。

費信　星槎勝覽集二卷　天心紀行錄一卷　永樂中，從鄭和使西洋
所紀。

陳誠　西域行程記二卷

馬歡　瀛涯勝覽一卷

倪謙　朝鮮紀事一卷　遼海編四卷

錢溥　朝鮮雜志三卷　使交錄一卷

黃福　安南水程日記二卷

龔用卿　使朝鮮錄三卷

謝杰　使琉球錄六卷

李文鳳　粵嶠書二十卷　紀安南事。

黃省曾　西洋朝貢典錄二卷

張燮　東西洋考十二卷

李言恭　日本考五卷

---

① "彭"，據《千頃堂書目》卷八當作"鼓"。

侯繼高　日本風土記四卷

卜大同　備倭圖記四卷　征苗圖記一卷

田汝成　炎徼紀聞四卷

寧獻王權　異域志一卷

嚴從簡　殊域周咨録二十四卷

羅曰褧　咸賓録八卷

茅瑞徵　象胥録八卷

尹耕　譯語一卷

艾儒畧　職方外紀五卷

　　右地理類，四百七十一部，七千四百九十八卷。

天潢玉牒一卷

宗支二卷　男女各一冊。

宗譜一卷

主壻譜牒一卷　已上皆明初修。

朱睦㮮　帝系世表一卷　周國世系表一卷　周乘一卷　鎮

　平世系録二卷

周憲王年表二卷

周定王年表一卷

楚王宗支一卷

蜀府宗支圖譜一卷

朱宙枝　統宗繩蟄録十二卷

吳震元　宋相譜二百卷

朱右　邾子世家一卷

盧熊　孔顏世系譜二卷

楊廉　二程年譜一卷

李默　朱子年譜四卷

徐渤　蔡忠惠年譜一卷

郭勳　三家世典一卷輯　徐達、沐英、郭英三家世系勳伐本末。

中山徐氏世系録一卷

李韓公家乘一卷

李臨淮　遐思録八卷

吳沈　千家姓一卷

楊信民　姓源珠璣六卷

刑參　姓氏彙典二卷

楊慎　希姓録五卷

王文翰　尚古類氏集十二卷

李日華　姓氏譜纂七卷

曹宗儒　郡望辨二卷

陳士元　姓滙四卷　姓觿二卷　名疑四卷

凌迪知　歷代帝王姓系統譜六卷　姓氏博考十四卷　萬姓
　　統譜一百四十卷

余寅　同姓名録十二卷

鄧名世　古今姓氏書辨証四十卷[①]

　　右譜牒類,三十八部,五百四卷。

---

　　① "鄧名世古今姓氏書辨証四十卷",中華本校曰:"此係宋人著作,誤入本志。"

三

　　子類十二：一曰儒家類，二曰雜家類，<small>前代藝文志列名、法諸家，然寥寥無幾，備數而已，今總附雜家。</small>三曰農家類，四曰小説家類，五曰兵書類，六曰天文類，七曰曆數類，八曰五行類，九曰藝術類，<small>醫書附。</small>十曰類書類，十一曰道家類，十二曰釋家類。

聖學心法四卷　<small>永樂中編，爲類四，曰君道、臣道、父道、子道。成祖製序。</small>

性理大全七十卷　<small>永樂中，既命胡廣纂修《經書大全》，又以周、程、張、朱諸儒性理之書類聚成編。成祖製序。</small>

傳心要語一卷　孝順事實十卷　爲善陰騭十卷　<small>皆永樂中編。</small>

五倫書六十二卷　<small>宣宗采經傳子史嘉言善行爲是書。正統中，英宗製序刊行。</small>

憲宗　文華大訓二十八卷　<small>綱四，目二十有四，成化中編。嘉靖中，世宗製序刊行。</small>

世宗　敬一箴一卷　注程子四箴　注范浚心箴共二卷

孫作　東家子一卷

葉儀　潛書一卷

劉睿[①]　**留子一卷**

葉子奇　太玄本旨九卷

朱右　性理本原三卷

張九韶　理學類編八卷

謝應芳　辯惑編四卷

周是修　綱常彝範十二卷

---

　　① “劉”，據《千頃堂書目》卷十一當作“留”。

曹端　理學要覽二卷　夜行燭一卷　月川語録一卷

尤文　語録二卷

鮑寧　天原發微辨正五卷

金潤　心學探微十二卷

吳與弼　康齋日録一卷

薛瑄　讀書録十卷　續録十卷

周洪謨　南皋子雜言二卷　箐齋讀書録二卷

胡居仁　居業録八卷

謝鐸　伊洛淵源續録六卷

程敏政　道一編五卷

蔡清　性理要解二卷

楊廉　伊洛淵源録類增十四卷　畏軒劄記三卷

張吉　陸學訂疑二卷

章懋　楓山語録二卷

周木　延平問答續録一卷

楊守阯　困學寡聞録十卷

韓邦奇　性理三解八卷

王鴻漸　讀書記二卷

王崇　大儒心學録二十七卷

徐問　讀書劄記八卷　續記八卷

方鵬　觀感録十二卷

魏校　莊渠全書十卷

陳獻章　言行録十卷　附録二卷

趙鶴　金華正學編十卷

王守仁　傳習録四卷　陽明則言二卷

羅欽順　困知記六卷　附録二卷

陳建　學蔀通辨十二卷

許讚　性學編一卷　道統泝流録一卷

湛若水　甘泉明論十卷　遵道録十卷　問辨録六卷

黄佐　泰泉庸言十二卷

吕柟　涇野子内篇三十三卷　語録二十卷

鄒守益　道南三書三卷　明道録四卷

何瑭　柏齋三書四卷

薛蕙　日録五卷

顧應祥　惜陰録十二卷

沈霽　語録四卷

邵經邦　弘道録五十七卷

唐順之　儒編六十卷

薛應旂　考亭淵源録二十四卷　薛子庸語十二卷

王艮　心齋語録二卷

周思兼　學道記言六卷

胡直　胡子衡齊八卷

陸樹聲　汲古叢語一卷

金賁亨　道南録五卷　台學源流集七卷

尤時熙　擬學小記八卷

劉元卿　諸儒學案八卷

周琦　東溪日談十八卷

羅汝芳　明道録八卷　近溪集語十二卷

耿定向　庸言二卷　雅言一卷　新語一卷　教學商求一卷

李渭　先行録十卷

王樵　劄記一卷　筆記一卷

許孚遠　語要二卷

朱衡　道南源委録十二卷

孫應鰲　論學彙編八卷

梁斗輝　聖學正宗二十卷

管志道　問辨牘八卷　理學酬咨録八卷

王敬臣　俟後編四卷

吕坤　呻吟語四卷

鄒德溥　畏聖録二卷

鄧球　理學宗旨二卷

李材　教學録十二卷　南中問辨録十卷

曾朝節　臆言八卷

鄒元標　仁文會語四卷　日新編二卷

楊起元　證學編二卷　識仁編二卷

徐即登　儒學明宗録二十五卷

黃時熙　知非録六卷

錢一本　黽記四卷

顧憲成　劄記十八卷　東林商語二卷　證性編八卷　當下
　繹一卷　涇陽遺書二十卷

李多見　學原前後編八卷

涂宗濬　證學記三卷

周子義　日録見聞十卷

吳仕期　大儒敷言三十三卷

徐三重　信古餘論八卷

來知德　日録十二卷

方學漸　心學宗四卷

姚舜牧　性理指歸二十八卷

馮從吾　元儒考畧四卷　語録六卷

唐鶴徵　憲世編六卷

曾鳳儀　明儒見道編二卷

周汝登　聖學宗傳十八卷

高攀龍　就正録二卷　高子遺書十二卷

孫愼行　困思抄四卷

劉宗周　理學宗要一卷　證人要旨一卷　劉子遺書四卷

葉秉敬　讀書録鈔八卷

黃道周　榕壇問業十八卷

章世純　留書十卷

黃淳耀　吾師録一卷　語録一卷　劄記二卷

　　　右儒家類，一百四十部，一千二百三十卷。

太祖　資治通訓一卷　凡十四章，首君道，次臣道，又次民用、士用、工用、商用，皆著勸導之意。公子書一卷　訓世臣。務農技藝商賈書一卷　訓庶民子弟。

成祖　務本之訓一卷　采太祖創業事迹及往古興亡得失爲書，以訓太孫。

仁孝皇后　勸善書二十卷

宋濂　燕書一卷

王廉　迂論十卷

葉子奇　草木子八卷

王達　筆疇二卷

曹安　讕言長語二卷

趙弼　事物紀原刪定二十卷

解延年　物類集説三十四卷

羅頎　梅山叢書二百卷　物原二卷

謝理　東岑子四卷

潘府　南山素言一卷

何孟春　餘冬序録六十五卷　閒日分義一百卷

戴銑　經濟考畧二十卷

戴璟　博物策會十七卷

陸深　同異録一卷　傳疑録二卷

孫宜　邇言二卷

祝允明　前聞記一卷　讀書筆記一卷

蔡羽　太藪外史五卷

劉繪　劉子通論十卷

高岱　楚漢餘談一卷

羅虞臣　原子八卷

王杰　經濟總論十卷

汪坦　日知録五卷

劉鳳　劉子雜組十卷

王世貞　劄記二卷　宛委餘編十九卷

王可大　國憲家猷五十六卷　萬曆中,御史言內閣絲綸簿猝無可考,惟是書
載之,遂取以進。

沈津　百家類纂四十卷

陳耀文　學圃萱蘇六卷　學林就正四卷

陳絳　金罍子四十四卷

方弘靜　千一録二十六卷

勞堪　史編始事二卷

陳其力　芸心識餘八卷

周祈　名義考十二卷

詹景鳳　詹氏小辨六十四卷

穆希文　説原十六卷　動植記原四卷

王三聘　事物考八卷

徐常吉　諸家要旨二卷

徐伯齡　蟬精雋二十卷

趙士登　省身至言十卷

劉仕義　知新録二十四卷

屠隆　冥寥子二卷　鴻苞四十八卷

閔文振　異物類苑五卷

朱謀㙔　玄覽八卷

趙樞生　含玄子十六卷　別編十卷

吳安國　纍瓦編三十二卷

馮應京　經世實用編二十八卷

柯壽愷　語叢三十八卷

徐三重　鴻洲雜著十八卷

王納諫　會心言四卷

沈節甫　紀録彙編二百十六卷

祁承爍　國朝徵信録二百十二卷　淡生堂餘苑六百四卷

董斯張　廣博物志五十卷

鄭瑄　昨非菴日纂六十卷

　　右雜家類，六十七部，二千二百八十四卷。

劉基　多能鄙事十二卷

周定王　救荒本草四卷

寧獻王　臞仙神隱書四卷

楊溥　水雲録二卷

周履靖　茹草編四卷

鄺璠　便民圖纂十六卷

顧清　田家月令一卷

施大經　閱古農書六卷

俞貞木　種樹書三卷

温純　齊民要書一卷

王世懋　學圃雜疏三卷

黄省曾　稻品一卷　蠶經一卷

李德紹　樹藝考二卷
袁黄　寶坻勸農書二卷
陳鳴鶴　田家月令一卷
宋公望　四時種植書一卷
馮應京　月令廣義二十四卷
王象晉　羣芳譜二十八卷
徐光啟　農政全書六十卷　農遺雜疏五卷
張國維　農政全書八卷
吳嘉言　四季須知二卷
　　　右農家類，二十三部，一百九十一卷。

宋濂　蘿山雜言一卷
葉子奇　草木子餘録三卷
陶宗儀　輟耕録三十卷　説郛一百二十卷　又有《續説郛》四十六卷，
明季人陶珽纂輯。
劉績　霏雪録二卷
陶輔　桑榆漫筆一卷
瞿佑　香臺集三卷
張綸　林泉隨筆一卷
李賢　古穰雜録二卷
岳正　類博雜言二卷
葉盛　水東日記三十八卷
單宇　菊坡叢話二十六卷
陸容　菽園雜記十五卷
姚福　青谿暇筆二十卷
張志淳　南園漫録十卷　續録十卷
梅純　續百川學海一百卷

王錡　寓圃雜記十卷

羅鳳　漫録三十卷

李詡　漫筆八卷

徐泰　玉池談屑四卷

羅欽德　閩中瑣録二卷

王渙　墨池瑣録三卷

沈周　客坐新聞二十二卷

都卬　三餘贅筆二卷

都穆　奚囊續要二十卷

徐禎卿　異林一卷

唐錦　龍江夢餘録四卷

戴冠　筆記十卷

侯甸　西樵野記十卷

陸粲　庚巳編十卷

陸深　儼山外集四十卷

馬攀龍　株守談略四卷

陸采　天池聲雋四十卷

胡侍　野談六卷

楊慎　丹鉛總録二十七卷　續録十二卷　餘録十七卷　新
　録七卷　閏録九卷　卮言四卷　談菀醍醐九卷　藝林伐
　山二十卷　墐戶録一卷　清暑録二卷

陸楫　古今説海一百四十二卷

陳霆　兩山墨談十八卷

司馬泰　廣説郛八十卷　古今彙説六十卷　再續百川學海
　八十卷　三續三十卷　史流十品一百卷

王文禄　明世學山五十卷

尤鑌　紅箱集五十卷

朱應辰　漫鈔十卷

李文鳳　月山叢談十卷

何良俊　語林三十卷　叢說三十八卷

沈儀　塵談録十卷

萬表　灼艾集十卷

高鶴　見聞搜玉八卷

項喬　甌東私録六卷

張時徹　說林二十四卷

袁褧　前後四十家小說八十卷　廣四十家小說四十卷

陸樹聲　清暑筆談一卷　長水日鈔一卷　耄餘雜識一卷

徐伯相　畫暇叢記二十卷

姚弘謨　錦囊瑣綴八卷

陳師　筆談十五卷

石磐　菊徑漫談十四卷

郎瑛　七修類稿五十一卷

朱國禎　湧幢小品二十四卷

李豫亨　自樂編十六卷

徐渭　路史二卷

汪雲程　逸史搜奇十卷

孫能傳　剡溪漫筆六卷

王應山　風雅叢談六十卷

陳禹謨　說塵八卷

田藝蘅　留青日札三十九卷　西湖志餘二十六卷

胡應麟　少室山房筆叢三十二卷　續十六卷

林茂槐　說類六十二卷

焦竑　筆乘二十卷　玉堂叢語八卷　明世說八卷

黃汝良　筆談十二卷

朱謀㙔　異林十六卷

湯顯祖　續虞初志八卷

張鼎思　瑯琊代醉編四十卷

屠本畯　山林經濟籍二十四卷

顧起元　説略六十卷

王肯堂　鬱岡齋筆麈四卷

董其昌　畫禪室隨筆二卷

商濬　稗海三百六十八卷

謝肇淛　五雜組十六卷　麈餘四卷　文海披沙八卷

徐𤊹　徐氏筆精八卷

王兆雲　驚座新書八卷　王氏青箱餘十二卷

張所望　閱耕餘録六卷

郭良翰　問奇類林三十六卷

陳繼儒　祕笈一百三十卷

潘之恆　亘史鈔九十一卷

王學海　筠齋漫録十卷

李日華　六研齋筆記十二卷　日記二十卷

包衡　清賞録十二卷

張重華　娛耳集十二卷

馬應龍　藝林鉤微録二十四卷

李紹文　明世説新語八卷

張大復　筆談十四卷

徐應秋　談薈三十六卷

楊崇吾　檢蠹隨筆三十卷

來斯行　槎菴小乘四十六卷

沈弘正　蟲天志十卷

胡震亨　讀書雜録三卷

閔元京　湘烟録十六卷

茅元儀　雜記三十二卷

華繼善　咫聞録五卷

王所　日格類鈔三十卷

王勘　纂言鉤玄十六卷

楊德周　隨筆十二卷

吳之俊　獅山掌録二十八卷

　　右小説家類，一百二十七部，三千三百七卷。[①]

劉寅　七書直解二十六卷　　集古兵法一卷

寧獻王權　注素書一卷

徐昌會　握機彙鑰六卷

陳元素　古今名將傳十七卷

劉幾　諸史將略十六卷

何喬新　續百將傳四卷　五代訖宋、元。

何瑭　兵論一卷

王芑　綱目兵法六卷

穆伯寅　兵鑑撮要七卷

劉濂　兵説十二卷

吳從周　兵法彙編十二卷

唐順之　武編十二卷　　兵垣四編五卷

何東序　益智兵書一百卷　　武庫益智録六卷

陳禹謨　左氏兵法略三十二卷

李材　將將紀二十四卷　　兵政紀略五十卷　　經武淵源

---

　　①　中華本校曰："本類録自《明史稿》志七六《藝文志》，增李文鳳《月山叢談》十卷，但此總部數及卷數照抄《明史稿》而未增，應增一部十卷。"

十五卷

顧其言　新續百將傳四卷　一名《明百將傳》。

馮孜　古今將略四卷

尹商　閫外春秋三十二卷

戚繼光　紀效新書十四卷　練兵實紀九卷　雜集六卷　將臣寶鑑一卷

趙本學　韜鈐內篇一卷

俞大猷　韜鈐續篇一卷　劍經一卷

葉夢熊　運籌綱目十卷

王鳴鶴　登壇必究四十卷

何僎　讀史機略十卷

鄭璧　古今兵鑑三十二卷　經世宏籌三十六卷

王有麟　古今戰守攻圍兵法六十卷

姚文蔚　省括編二十二卷

趙大綱　方略摘要十卷

高折枝　將略類編二十四卷

施浚明　古今紆籌十二卷

楊惟休　武略十卷

孫承宗　車營百八扣一卷

徐常　陣法舉要一卷

龍正　八陣圖演注一卷

瞿汝稷　兵略纂聞十二卷

茅元儀　武備志二百四十卷

孫元化　經武全編十卷

顏季亨　明武功紀勝通考八卷

徐標　兵機纂要四卷

范景文　師律十六卷

谷中虛　水陸兵律令操法四卷

張燾　西洋火攻圖説一卷

王應遴　備書二十卷

冒起宗　守筌五卷

講武全書兵覽三十二卷

兵律三十八卷

兵占二十四卷

兵機備纂十三卷　已上四部，不知撰人。

　　右兵書類，五十八部，一千一百二十二卷。

清類天文分野書二十四卷　洪武中編，以十二分野星次分配天下郡縣，又於
　郡縣之下詳載古今沿革之由。

天元玉曆祥異賦七卷　仁宗製序。

葉子奇　元理一卷

劉基　天文祕略一卷

觀象玩占十卷　不知撰人，或云劉基輯。

楊廉　星略一卷

王應電　天文會通一卷

周述學　天文圖學一卷

吳琯　天文要義二卷

范守己　天官舉正六卷

陸伀　天文地理星度分野集要四卷

王臣夔　測候圖説一卷

黃履康　管窺略三卷

黃鍾和　天文星象考一卷

楊惟休　天文書四卷

潘元和　古今災異類考五卷

趙宦光　九圜史一卷

余文龍　祥異圖說七卷　史異編十七卷

李之藻　渾蓋通憲圖說二卷

利瑪竇　幾何原本六卷　勾股義一卷　表度說一卷　圜容
　較義一卷　測量法義一卷　天問略一卷　泰西水法六卷

熊三拔　簡平儀說一卷　測量異同一卷

李天經　渾天儀說五卷

王應遴　乾象圖說一卷　中星圖一卷

陳胤昌　天文地理圖說二卷

李元庚　乾象圖說一卷

陳藎謨　象林一卷

馬承勳　風纂十二卷

魏濬　緯談一卷

吳雲　天文志雜占一卷

艾儒略　幾何要法四卷

圖注天文祥異賦十卷

天文玉曆璇璣經五卷

天文鬼料竅一卷

天文玉曆森羅記十二卷

經史言天錄二十六卷

嘉隆天象錄四十五卷

雷占三卷

風雲寶鑑一卷

天文占驗二卷

物象通占十卷

白猿經一卷　已上十一部，皆不知撰人。

　　右天文類，五十部，二百六十三卷。

劉信　曆法通徑四卷

馬沙亦黑　回回曆法三卷

左贊　曆解易覽一卷

呂柟　寒暑經圖解一卷

顧應祥　授時曆法二卷

曾俊　曆法統宗二卷　曆臺撮要二卷

周述學　曆宗通議一卷　中經測一卷　曆草一卷

貝琳　百中經十卷　起成化甲午，訖嘉靖癸巳，凡六十年。後人又續至壬戌止。

戴廷槐　革節卮言五卷

袁黃　曆法新書五卷

何註　曆理管窺一卷

郭子章　枝幹釋五卷

朱載堉　律曆融通四卷　音義一卷　萬年曆一卷　萬年曆
備考二卷　曆學新說二卷　萬曆二十三年編進。

蕭懋恩　監曆便覽二卷

邢雲路　古今律曆考七十二卷

徐光啟　崇禎曆書一百二十六卷　《曆書總目》一卷，《日躔曆指》四卷，
《日躔表》二卷，《恆星曆指》三卷，《恆星圖》一卷，《恆星圖系》一卷，《恆星曆表》四卷，
《恆星經緯表》二卷，《恆星出沒表》二卷，《月離曆指》四卷，《月離表》六卷，《交食曆指》
七卷，《交食表》七卷，《五緯曆指》九卷，《五緯表》十卷，《測天約說》二卷，《大測》二卷，
《割圓八線表》六卷，《黃道升度表》七卷，《黃赤道距度表》一卷，《通率表》二卷，《元史揆
日訂訛》一卷，《通率立成表》一卷，《散表》一卷，《測圓八線立成長表》四卷，《黃道升度
立成中表》四卷，《曆指》一卷，《測量全義》十卷，《比例規解》一卷，《南北高弧表》十二
卷，《諸方半晝分表》一卷，《諸方晨昏分表》一卷，《曆學小辯》一卷，《曆學日辯》五卷。
崇禎二年，敕光啟與李之藻、王應遴及西洋人羅雅谷等陸續成書。

羅雅谷　籌算一卷

王英　明曆體略三卷

何三省　曆法同異考四卷

賈信　臺曆百中經一卷

曆法統宗十二卷

曆法集成四卷

經緯曆書八卷

七政全書四卷　已上四部，皆不知撰人。

　　右曆數類，三十一部，二百九十一卷。

劉基　玉洞金書一部①　注靈棋經二卷　解皇極經世稽覽圖
　　十八卷

選擇曆書五卷　洪武中，欽天監奉敕撰定。

馬貴　周易雜占一卷

胡宏　周易黃金尺一卷

盧翰　中菴籤易一卷

季本　蓍法別傳二卷

周瑞　文公斷易奇書三卷

蔡元谷　神易數一卷

張其堤　易卦類選大成四卷

王宇　周易占林四卷

錢春　五行類應八卷

劉均　卜筮全書八卷

趙際隆　卜筮全書十四卷

張濡　先天易數二卷

周視考　陰陽定論三卷

楊向春　皇極心易發微六卷

蔡士順　皇極祕數占驗一卷

---

①　“部”，據《明史稿》卷九十五《藝文志》、《千頃堂書目》卷十三當作“卷”。

吳琬　皇極經世鈐解二卷　太乙統宗寶鑑二十卷　太乙淘

　金歌一卷　六壬金鑰匙二卷

馮柯　三極通二卷

張幹山　古今應驗異夢全書四卷

陳士元　夢占逸旨八卷

張鳳翼　夢占類考十二卷

池本理　禽遁大全四卷　禽星易見四卷

鮑世彦　奇門微義四卷　奇門陽遁一卷　陰遁一卷

劉翔　奇門遁甲兵機書二十卷

徐之鎮　選擇禽奇盤例定局五卷

胡獻忠　八門神書一卷

葉容　太乙三辰顯異經十卷

李元灃　太乙九旗曆三卷

邢雲路　太乙書十卷

李克家　戎事類占二十一卷

楊瓚　六壬直指捷要二卷

蔣日新　開雲觀月歌一卷

黃公達　鳳髓靈文一卷

袁祥　六壬大全三十三卷

徐常吉　六壬釋義一卷

黃賓廷　六壬集應鈐六十卷

寧獻王權　肘後神樞二卷　運化玄樞一卷

曆法通書三十卷　金谿何士泰景祥《曆法》，臨江宋魯珍輝山《通書》合編。

熊宗立　金精鰲極六卷　通書大全三十卷

王天利　三元節要三卷

徐瓘　陰陽捷徑一卷

劉最　選擇類編八卷

萬邦孚　彙選筮吉指南十一卷　日家指掌二卷　通書纂要
　六卷

何瑭　陰陽管窺一卷

劉黄裳　元圖符藏二卷　已上卜筮陰陽。

劉基　三命奇談　滴天髓一卷

吳天洪　造命宗鏡集十二卷

洪理　曆府大成二十二卷

歐陽忠　星命祕訣望斗真經三卷

楊源　星學源流二十卷

雷鳴夏　子平管見二卷

李欽　淵海子平大全六卷

萬民育①　三命會通十二卷　星學大成十八卷②

陸位　星學綱目正傳二十卷

張果　星宗命格十卷　文武星案六卷

西窗老人　蘭臺妙選三卷

袁忠徹　古今識鑑八卷

鮑栗之　麻衣相法七卷

李廷湘　人相編十二卷　已上星相。

周繼　陽宅真訣二卷

王君榮　陽宅十書四卷

陳夢和　陽宅集成九卷

李邦祥　陽宅真傳二卷

周經　陽宅新編二卷

---

　　① “育”，據嵇璜《續文獻通考》卷一八二、《國史經籍志補》、《四庫全書總目》卷
一〇九當作“英”。

　　② “星學大成十八卷”，原在“星学綱目正傳二十卷”之後，據嵇璜《續文獻通考》卷
一八二、《四庫全書總目》卷一〇九係萬民英撰，今移至“三命會通十二卷”之後。

陽宅大全十卷　不知撰人。

劉基　金彈子三卷　披肝露膽一卷　一粒粟一卷　地理漫
　興三卷

趙汸　葬説一卷

瞿佑　葬説一卷

謝昌　地理四書四卷

謝廷桂①　堪輿管見二卷

周孟中　地理真機十五卷

徐善繼　人子須知三十五卷

董章　堪輿祕旨六卷

徐國柱　地理正宗八卷

趙祐　地理紫囊八卷

郭子章　校定天玉經七注七卷

陳時暘　堪輿真諦三卷

王崇德　地理見知四卷

李迪人　天眼目九卷

徐之鎮　羅經簡易圖解一卷　地理琢玉斧十三卷

地理全書五十一卷　不知撰人。

地理天機會元三十五卷　不知撰人。

李國本　理氣祕旨七卷　地理形勢真訣三十卷

徐焌　堪輿辨惑一卷　已上堪輿。

　　右五行類，一百四部，八百六十一卷。

格古要論十四卷　洪武中，曹照撰。②　天順間，王均增輯。

---

　　①　"桂"，據《千頃堂書目》卷十三當作"柱"。
　　②　"照"，據《明史稿》卷九十五《藝文志》、《千頃堂書目》卷十五、嵇璜《續文獻通
考》卷一七七、《四庫全書總目》卷一二三當作"昭"。

沈津　欣賞編十卷

茅一相　續欣賞編十卷

吳繼　墨蛾小録四卷

周履靖　藝苑一百卷　繪林十六卷　畫藪九卷

朱存理　鐵網珊瑚二十卷

朱凱　圖畫要略一卷

都穆　金薤琳瑯二十卷　寓意編一卷

唐寅　畫譜三卷

韓昂　明畫譜一卷

楊慎　墨池瑣録一卷　書品一卷　斷碑集四卷

徐獻忠　金石文一卷

周英　書纂五卷

程士莊　博古圖録三十卷

朱觀熰　畫法權輿二卷

劉璋　明書畫史三卷

羅周旦　古今畫鑑五卷

李開先　中麓畫品一卷

王勘　畫史二十卷

王世貞　畫苑十卷　補遺二卷

莫是龍　畫説一卷

劉世儒　梅譜四卷

王穉登　吳郡丹青志一卷

徐𤌅　閩畫記一卷

曹學佺　蜀畫苑四卷

李日華　畫媵二卷　書畫想像録四十卷

張丑　清河書畫舫十二卷

寧獻王權　爛柯經一卷　琴阮啟蒙一卷　神奇祕譜三卷

袁均哲　太古遺音二卷

嚴澂　琴譜十卷

楊表正　琴譜六卷

林應龍　適情録二十卷　棋史二卷

葉良貴　歙硯志四卷

方于魯　墨譜六卷

程君房　墨苑十卷

周應愿　印説一卷

鄭履祥　印林二卷

臧懋循　六博碎金八卷

文震亨　長物志十二卷　已上雜藝。

孝宗　類證本草三十一卷

世宗　易簡方一卷

趙簡王　補刊素問遺篇一卷　世傳《素問》王砅注本，中有缺篇，簡王得全本，
補之。

寧獻王權　乾坤生意四卷　壽域神方四卷

周定王　普濟方六十八卷

李訒　集解脉訣十二卷

劉純　玉機微義五十卷　醫經小學六卷

楊文德　太素脉訣一卷

李恆　袖珍方四卷

周禮　醫學碎金四卷

俞子容　續醫説十卷

徐子宇　致和樞要九卷

劉均美　拔萃類方二十卷　一作四十卷。

胡濙　衞生易簡方四卷　永樂中，濙爲禮部侍郎，出使四方，輯所得醫方進於
朝。一作十二卷。

陶華　傷寒六書六卷　傷寒九種書九卷　傷寒全書五卷

鄭達　遵生録十卷

楊慎　素問糾略三卷

陰秉暘　内經類考十卷

孫兆　素問注釋考誤十二卷

張介賓　張氏類經四十二卷

張世賢　圖注難經八卷

吳球　諸證辨疑四卷　用藥玄機二卷

方賢　奇效良方六十九卷

錢原濬　集善方三十六卷

鄒福　經驗良方十卷

丁毅　醫方集宜十卷

王鏊　本草單方八卷

錢實　運氣説二卷

李言聞　四胗發明八卷

李時珍　瀕湖脉學一卷　奇經八脉考一卷　時珍《本草綱目》一書，用力深久，詳《方伎傳》。

虞搏　醫學正傳八卷　方脉發蒙六卷

樓英　醫學綱目四十卷

陳諫　蓋齋醫要十五卷

徐春甫　古今醫統一百卷

方廣　丹溪心法附餘二十四卷

傅滋　醫學集成十二卷

薛己　家居醫録十六卷　外科心法七卷

王璽　醫林集要八十八卷

錢萼　醫林會海四十卷

方穀　脉經直指七卷　本草集要十二卷

王肯堂　醫論四卷　_{肯堂著《證治準繩全書》，博通醫學，見《王樵傳》。}

黃承昊　折肱漫録六卷

萬全　保命活訣三十五卷

李中梓　頤生微論十卷

李濂　醫史十卷

楊珣　針灸詳説二卷

徐鳳　針灸大全七卷

徐彪　本草證治辨明十卷

繆希雍　本草經疏二十卷　方藥宜忌考十二卷

熊宗立　傷寒運氣全書十卷　傷寒活人指掌圖論十卷

趙原陽　外科序論一卷

汪機　外科理例八卷

吳倫　養生類要二卷

王鑾　幼科類萃二十八卷

薛鎧　保嬰撮要二十卷

周子蕃　小兒推拿祕訣一卷

吳洪　痘疹會編十卷　已上醫術。

　　右藝術類，一百十六部，一千五百六十四卷。

永樂大典二萬二千九百卷　永樂初，解縉等奉敕編《文獻大成》既竣，帝以爲
未備，復敕姚廣孝等重修，四歷寒暑而成，更定是名。成祖製序。後以卷帙太繁，不
及刊布，嘉靖中復加繕寫。

張九韶　羣書備數十二卷

袁均哲　羣書纂數十二卷　類林雜説十五卷　楊士奇《文籍志》云明
初人所編。

沈易　博文編四卷

吳相　滄海遺珠十卷

楊循吉　奚囊手鏡二十卷

羣書集事淵海四十七卷　《百川書志》云弘治時人編。

楊慎　升菴外集一百卷　焦竑編次。

王圻　三才圖説一百六卷

司馬泰　文獻彙編一百卷

凌瀚　羣書類考二十二卷

浦南金　修辭指南二十卷

顧充　古雋考略十卷

吳琯　經史文編三十卷　三才廣志三百卷

唐順之　稗編一百二十卷

李先芳　雜纂四十卷

鄭若庸　類雋三十卷

王世貞　類苑詳注三十六卷

陳耀文　天中記六十卷

凌迪知　文林綺繡七十卷　文選錦字二十一卷　左國腴詞
　　八卷　太史華句八卷

徐𤊟　羣書纂要一百九十六卷

曹大同　藝林華燭一百六十卷

陳禹謨　駢志二十卷　補注北堂書鈔一百六十卷

茅綯　學海一百六十四卷

徐常吉　事詞類奇三十卷

徐元泰　喻林一百二十卷

馮琦　經濟類編一百卷

章潢　圖書編一百二十七卷

何三畏　類鎔二十卷

彭大翼　山堂肆考二百四十卷

卓明卿　藻林八卷

郭子章　黔類十八卷

詹景鳳　六緯撮華十卷

焦竑　類林八卷

彭好古　類編雜說六卷

王家佐　古今元屑八卷

祝叔祺^①　考古詞宗二十卷

朱謀㙔　金海一百二十卷

林濂　詞叢類採八卷　續八卷

俞安期　唐類函二百卷

宋應奎　翼學編十三卷

陳世寶　古今類腴十八卷

陳懋學　事文類纂十六卷

袁黃　羣書備考二十卷

徐鑒　諸書考略四卷

凌以棟　五車韻瑞一百六十卷

劉仲達　鴻書一百八卷

劉胤昌　類山十卷

黃一正　事物紺珠四十六卷

汪宗姬　儒數類函六十二卷^②

劉國翰　記事珠十卷

吳楚材　强識略二十四卷

彭儼　五侯鯖十二卷

商濬　博聞類纂二十卷

---

① “祝”，據《千頃堂書目》卷十五、稽璜《續文獻通考》卷一八七、《四庫全書總目》卷一三七當作“況”。

② “儒數類函”，據《四庫全書總目》卷一三八、稽璜《續文獻通考》卷一八七當作“儒函類數”。

范泓　典籍便覽八卷

楊淙　事文玉屑二十四卷

徐袍　事典考略六卷

朱東光　玉林摘粹八卷

王光裕　客窗餘録二十二卷

劉業　古今事類通考十卷

夏樹芳　詞林海錯十六卷

王路清　珠淵十卷

唐希言　事言要玄集二十二卷

錢應充　史學璧珠十八卷

胡尚洪　子史類語二十四卷

沈夢熊　三才雜組五卷

屠隆　漢魏叢書六十卷

陳仁錫　潛確居類書一百二十卷　經濟八編類纂二百五十
　五卷

林琦　倫史鴻文二十四卷

程良孺　茹古略八十卷

雷金科　文林廣記三十一卷

徐應秋　駢字憑霄二十卷

枳記二十八卷

胡震亨　祕册彙函二十卷

毛晉　津逮祕書十五集

　　右類書類，八十三部，二萬七千一百八十六卷。

道藏目録四卷

道經五百十二函

太祖　注道德經二卷　周顛仙傳一卷 太祖製。

神仙傳一卷　成祖製。

寧獻王權　庚辛玉册八卷　造化鉗鎚一卷

陶宗儀　金丹密語一卷

張三丰　金丹直指一卷　金丹祕旨一卷

劉太初　金丹正惑一卷

黃潤玉　道德經注解二卷

楊慎　莊子闕誤一卷

王道　老子億二卷

朱得之　老子通義二卷　莊子通義十卷　列子通義八卷

薛蕙　老子集解二卷

商廷試　訂注參同契經傳三卷

徐渭　分釋古注參同契三卷

皇甫濂　道德經輯解三卷

孫應鰲　莊義要刪十卷

王宗沐　南華經別編二卷

田藝蘅　老子指玄二卷

焦竑　老子翼二卷　考異一卷　莊子翼八卷　南華經餘事
　雜録二卷　拾遺一卷

龔錫爵　老子疏略一卷

陶望齡　老子解二卷　莊子解五卷

郭良翰　南華經薈解三十三卷

羅勉道　南華循本三十卷

陸長庚　老子玄覽二卷　南華副墨八卷　陰符經測疏一卷
　周易參同契測疏一卷　金丹就正篇一卷　張紫陽金丹四
　百字測疏一卷　方壺外史八卷

李先芳　陰符經解一卷　蓬玄雜録十卷

沈宗霈　陰符釋義三卷

尹真人　性命圭旨四卷

桑喬　大道真詮四卷

孫希化　真武全傳八卷

池顯方　國朝仙傳二卷

靳昂　龍砂一脈一卷

朱多爩　龍砂八百純一玄藻二卷

朱載堉　葆真通十卷

顧元[①]　紫府奇玄十一卷

曹學佺　蜀中神仙記十卷

傅兆際　寰有詮六卷

楊守業　洞天玄語五卷

徐成名　保合編十二卷

　　　　右道家類，五十六部，二百六十七卷。

釋藏目錄四卷

佛經六百七十八函

太祖　集注金剛經一卷　成祖製序。

成祖　御製諸佛名稱歌一卷　普法界之曲四卷　神僧傳
　　九卷

仁孝皇后　夢感佛說大功德經一卷　佛說大因緣經三卷

宋濂　心經文句一卷

姚廣孝　佛法不可滅論一卷　道餘錄一卷

克菴禪師　語錄一卷

一如　三藏法數十八卷

陳實　大藏一覽十卷

---

　　① 據《千頃堂書目》卷十六，“顧”字下當有“起”字。

大祐　浄土指歸二卷

元瀞　三會語録二卷

溥洽　雨軒語録五卷

法聚　玉芝語録六卷　内語二卷

宗泐　心經注一卷　金剛經注一卷

洪恩　金剛經解義一卷　心經説一卷

楊慎　禪藻集六卷　禪林鈎玄九卷

弘道　注解楞伽經四卷

梵琦　楚石禪師語録二十卷

汪道昆　楞儼纂注十卷

交光法師　楞嚴正脉十卷

陸樹聲　禪林餘藻一卷

管志道　龍華懺法一卷

王應乾　楞嚴圓通品四卷

方允文　楞嚴經解十二卷

曾鳳儀　金剛般若宗通二卷　心經釋一卷　楞嚴宗通十卷
　楞伽宗通八卷　圓覺宗通四卷

沈士榮　續原教論二卷

楊時芳　心經集解一卷

何湛之　金剛經偈論疏注二卷

戚繼光　禪家六籍十六卷

如愚　金剛筏喻二卷

張有譽　金剛經義趣廣演三卷

李通　華嚴疏鈔四十卷

方澤　華嚴要略二卷

劉璉　無隱集偈頌三卷

古音　禪源諸詮一卷

景隆　大藏要略五卷

劉鳳　釋教編六卷

陳士元　象教皮編六卷　釋氏源流二卷

方晟　宗門崇行録四卷

一元　歸元直指四卷

陶望齡　宗鏡廣刪十卷

沈泰鴻　慈向集十三卷

陸長庚　楞嚴述旨十卷

王肯堂　參禪要訣一卷

楊惟休　佛宗一卷

張明弼　兔角詮十卷

徐可求　禪燕二十卷

瞿汝稷　指月録三十二卷

袁宏道　宗鏡攝録十二卷

姚希孟　佛法金湯文録十二卷

袁中道　禪宗正統一卷

株宏①　彌陀經疏四卷　正訛集一卷　禪關策進一卷　竹窗三
　筆三卷　自知録二卷

真可　紫柏語録一卷

德清　華嚴法界境一卷　楞嚴通義十卷　法華通義七卷
　觀楞伽記四卷　肇論略注三卷　長松茹退二卷　憨山緒
　言一卷

李樹乾　竺乾宗解四卷

蕭士瑋　起信論解一卷

---

① “株”，據《千頃堂書目》卷十六當作“袾”。

曹胤儒　華嚴指南四卷

俞王言　金剛標指一卷　心經標指一卷　楞嚴標指十二卷　
圓覺標指一卷

鎮澄　楞嚴正觀疏十卷　般若照真論一卷

傳燈　楞嚴玄義四卷　天台山方外志三十卷

通潤　楞嚴合轍十卷　楞伽合轍四卷　法華大窾七卷

石顯　西方合論十卷

智順　善才五十三參論一卷

仁潮　法界安立圖六卷

如巹　禪宗正脉十卷

章有成　金華分燈録十卷

鍾惺　楞嚴如説十卷

沈宗霈　楞嚴約指十二卷　徵心百問一卷

王正位　赤水玄珠一卷　栴檀林一卷

曾大奇　通翼四卷

曹學佺　蜀中高僧記十卷

王應遴　慈無量集四卷

林應起　全閩祖師語録三卷

夏樹芳　棲真志四卷

祖心　冥樞會要四卷

浄喜　禪林寶訓四卷

大艤　禪警語一卷　宗教答響一卷　歸正録一卷　博山語
録二十二卷

元賢　弘釋録三卷

宗林　寒燈衍義二卷

　　右釋家類，一百十五部，六百四十五卷。

四

集類三：一曰別集類，二曰總集類，三曰文史類。

明太祖文集五十卷　詩集五卷

仁宗文集二十卷　詩集二卷

宣宗文集四十四卷　詩集六卷　樂府一卷

憲宗詩集四卷

孝宗詩集五卷

世宗　翊學詩一卷　宸翰録一卷　咏和録一卷　咏春同德録
　　一卷　白鵲贊和集一卷

神宗　勸學詩一卷 各藩及宗室自著詩文集，已見本傳，不載。

宋濂　潛溪文集三十卷 皆元時作。　潛溪文粹十卷 劉基選。
　續文粹十卷 方孝孺、鄭濟同選。　宋學士文集七十五卷 《鑾坡前
集》十卷、《後集》十卷、《續集》十卷、《別集》十卷、《芝園前集》十卷、《後集》十卷、《別
集》十卷、《朝天集》五卷。　詩集五卷

劉基　覆瓿集二十四卷　拾遺二卷 皆元時作。　犁眉公集四卷
　文成集二十卷 彙編諸集及《郁離子》、《春秋明經》諸書。　詞四卷

危素　學士集五十卷

葉儀　南陽山房稿二十卷

王冕　竹齋詩集三卷

范祖幹　柏軒集四卷

戴良　九靈山房集三十卷

王逢　梧溪詩集七卷

梁寅　石門集四卷

楊維楨　東維子集三十卷　鐵崖文集五卷　古樂府十六卷
　詩集六卷

陶宗儀　南村詩集四卷

貢性之　南湖集二卷

謝應芳　龜巢集二十卷

張昱詩集二卷

楊芾　鶴崖集二十卷

李祁　雲陽先生集十卷　裔孫李東陽傳其集。

涂幾　涂子類稿十卷

張憲　玉笥集十卷

吳復　雲槎集十卷

華幼武　黃楊集四卷

陶振賦一卷　洪武初，振獻《紫金山》、《金水河》及《飛龍在天》三賦。

陶安文集二十卷

李習　橄欖集五卷

汪廣洋　鳳池吟稿十卷

孫炎　左司集四卷

劉炳　春雨軒集十卷　詞一卷

劉迪簡文集五卷

郭奎　望雲集五卷

王禕忠文集二十四卷

張以寧　翠屏集五卷

詹同文集三卷

劉崧文集十八卷　詩八卷

魏觀　蒲山集四卷

朱善　一齋集十卷　遼海集五卷

顧輝　守齋類稿三十卷

朱升　楓林集十二卷

趙汸　東山集十五卷

汪克寬　環谷集八卷

唐桂芳　白雲集略四十卷

李勝原　盤谷遺稿五卷

胡翰文集十卷

蘇衡文集十六卷①

朱廉文集十七卷

陳謨　海桑集十卷

周霆震　石初集十卷

高啟　槎軒集十卷　大全集十八卷　詞一卷

楊基　眉菴集十二卷　詞一卷

徐賁　北郭集六卷

張羽　靜居集六卷

陳基　夷白齋集二十卷

王彝　嬀蜼子集四卷

王行　半軒集十二卷

袁凱　海叟詩集四卷

孫作　滄螺集六卷

朱右　白雲稿十二卷

徐尊生制誥二卷　懷歸稿十卷　還鄉稿十卷

貝瓊　清江文集三十卷　詩十卷

顧祿　經進集二十卷

答祿與權文集十卷

---

　　①　“蘇衡文集”，據《千頃堂書目》卷十七、嵇璜《續文獻通考》卷一九一、《四庫全書總目》卷一六九，作者當爲“蘇伯衡”，集名當爲“蘇平仲集”。

杜斅　拙菴集十卷

吳源　託素齋集八卷

劉駰文集十卷

宋訥　西隱集十卷

劉三吾　坦齋集二卷 　一作《坦翁集》十二卷。

張孟兼 名丁，以字行。 　文集六卷

王翰　敝帚集五卷　梁園寓稿九卷

方克勤　愚菴集二十卷

吳伯宗集二十四卷 　《南宮》、《使交》、《成均》、《玉堂》，凡四種。

杜隰　雙清集十卷

鄭真　滎陽外史集一百卷

吳玉林　松蘿吟稿二十卷

方幼學　鼛山集十二卷

唐肅　丹崖集八卷

謝肅　密菴集十卷

謝徽　蘭庭集六卷

邵享貞①　蛾術文集十六卷

烏斯道　春草集十卷②

貝翱　舒菴集十卷

葉顒　樵雲集六卷

沈夢麟　花溪集三卷

劉鷹　盤谷集十卷

宋禧文集三十卷　詩十卷

鄭淵　遂初齋稿十卷

---

①　"享"，據《千頃堂書目》卷十七當作"亨"。

②　據《千頃堂書目》卷十七、嵇璜《續文獻通考》卷一九一、《四庫全書總目》卷一六九，"草"字下當有"齋"字。

林静　愚齋集二十卷

劉永之　山陰集五卷

龔斆　鵝湖集六卷

王沂　徵士集八卷

王祐　長江稿五卷

解開文集四十卷

林鴻　鳴盛集四卷　鴻與唐泰、黃玄、周玄、鄭定、高棅、王偁、王褒、王恭、陳亮另

有《閩中十才子詩》十卷。

孫蕡　西菴集九卷　蕡與王佐、黃哲、趙介、李德另有《廣中五先生詩》四卷。

藍仁詩集六卷

藍智詩集六卷

張適　樂圃集六卷

浦源　舍人集十卷

林弼　登州集六卷

陸中　蒲栖集二十卷

林大同文集九卷

丁鶴年　海巢集三卷　本西域人，後家武昌，永樂中始卒。楚憲王爲刻其集。

方孝孺　遜志齋集三十卷　拾遺十卷　黃孔昭、謝鐸同輯。

卓敬　卓氏遺書五十卷

練子寧　金川玉屑集五卷

茅大芳集五卷

程本立　巽隱集四卷

王艮　吉水人，王充耘孫。　翰林集十卷

王叔英　静學集二卷

周是修　芻蕘集六卷

鄭居貞集五卷

程通遺稿十卷

梅殷　都尉集三卷

任亨泰遺稿二卷

王紳文集三十卷

王稱　青巖類稿十卷

林右集二卷

王賓詩集二卷

張紞　鷗菴集一卷

樓璉　居夷集五卷

龔詡　野古集二卷

高遜志　嗇齋集二卷

解縉　學士集三十卷　春雨集十卷　似羅隱集二卷　已上洪武、建文時。

姚廣孝　逃虛子集十卷　外集一卷

黃淮　省愆集二卷　詞一卷

胡廣集十九卷

楊榮　兩京類稿三十卷　玉堂遺稿十二卷

楊士奇　東里集二十五卷　詩三卷

胡儼　頤菴集三十卷

金幼孜集十二卷

夏原吉集六卷

王鈍　野莊集六卷

鄭賜　聞一齋集四卷

趙羾集三卷

茹瑺詩一卷

黃福　家集三十卷　使交文集十七卷

鄒濟　頤菴集九卷

王達　天游集二十二卷

曾棨集十八卷

林環文集十卷　詩三卷

林誌　節齋集十五卷①

王汝玉詩集八卷

張洪集二卷

王紱詩集五卷

梁潛　泊菴集十二卷

劉髦　石潭集五卷

鄒緝　素菴集十卷

王偁　虛舟集五卷

王褒　養靜齋集十卷

王恭詩集七卷

高棅　嘯臺集二十卷　木天清氣集十四卷

黃壽生文集十卷

楊慈文集五卷

蘇伯厚　履素集十卷

鄭棠　道山集二十卷

劉均　拙菴集八卷

徐永達文集二十卷　詩十卷

王洪　毅齋集八卷

黃裳集十卷

袁忠徹　符臺外集五卷

陸顒　頤光集二十卷

瞿佑　存齋樂全集三卷　詞三卷

曾鶴齡　松膓集三卷

---

① “節”，據《千頃堂書目》卷十八當作“蔀”。

陳叔剛　絅齋集十卷

柯暹　東岡集十二卷

羅亨信集十二卷

劉鉉詩集六卷

金實文集二十八卷

王暹奏議二十卷　文集四十卷

蘇鉦　竹坡吟稿二十卷

周鳴　退齋稿六十卷

方勉　怡菴集十五卷

周叙　石溪集十八卷

楊溥文集十二卷　詩四卷

胡濙　澹菴集五卷　已上永樂時。

熊概　芝山集四十卷　公餘集三十卷

吳訥文集二十卷　詩八卷

秦樸　抱拙集六卷

陳繼　怡菴集二十卷

黃澤詩集十四卷

羅紘　蘭坡集十二卷

馬愉　淡軒文集八卷

陳循　芳洲集十六卷

高穀集十卷

廖莊　漁梁集二卷

林文　澹軒稿十二卷

龔錡　蒙齋集十卷

王訓文集三十卷

梁萼集二十卷

姜洪　松岡集十一卷

楊復　土苴集五十卷

劉廣衡　雲菴集三十卷

陳泰　拙菴集二十五卷

李奎　九川集六卷

徐琦文集六卷　已上洪熙、宣德時。

孫原貞奏議八卷　歲寒集二卷

王直　抑菴集四十二卷

王英文集六卷　詩五卷

錢習禮文集十四卷　應制集一卷

陳鑑文集六卷

魏驥摘稿十卷

周忱　雙崖集八卷

陳璉　琴軒稿三十卷

周旋文集十卷

劉球　兩谿集二十四卷

張楷　和唐音二十八卷　和李杜詩十二卷

李時勉文集十一卷　詩一卷

陳敬宗　澹然集十八卷

張倬　毅齋集二十卷

鄭鯨　雲遨摘稿八卷

彭時奏疏一卷　文集四卷

商輅奏議一卷　文集三十二卷

蕭鎡文集二十卷　詩十卷

于謙奏議十卷　文集二十卷

郭登　聯珠集二十二卷　景泰初,登封定襄伯,有詩名。是集以其父玨兄武之
作,與登詩合編。

何文淵奏議一卷　文稿四卷

章瑄　竹莊集四十卷

吳宣　野菴集十六卷

鄭文康　平橋集十八卷

劉溥　草窗集二卷　溥與蔣主忠、王貞慶、晏鐸、蘇平、蘇正、湯胤勣、王淮、沈愚、

　　鄒亮等稱"景泰十才子"，當時各有專稿。

桑琳　鶴溪集二十卷

錢洪詩集四卷

劉英詩集六卷

徐有貞　武功集八卷

許彬文集十卷　詩四卷

薛瑄　敬軒集四十卷　詩八卷

李賢　古穰集三十卷　續集二十卷

呂原　介軒集十二卷

岳正　類博稿十卷

劉儼文集三十二卷

吳與弼　康齋文集十二卷

王宇　厚齋集三卷

張穆　勿齋集二十卷

劉昌　五臺集二十二卷　《胥臺》、《鳳臺》、《金臺》、《嵩臺》、《越臺》諸稿彙編。

蕭儼　竹軒集二十卷

周塋　郡齋稿十卷

羅周　梅隱稿十八卷

姚綬　雲東集十卷

湯胤勣　東谷集十卷

易貴文集十五卷　已上正統、景泰、天順時。

劉定之存稿二十一卷　續稿五卷

劉珝文集十六卷

軒輗奏議四卷

彭華文集十卷

尹直　澄江集二十五卷

姚夔奏議三十卷　文集十卷

李裕奏議七卷　文集四卷

楊鼎奏議五卷　文稿二十卷

倪謙　玉堂　南宮　上谷　歸田四稿共一百七十卷

余子俊奏議六卷

周洪謨　箐齋集五十卷　南皐集二十卷

林聰奏議八卷　文集十四卷

張瑄奏議八卷　觀菴集十五卷　關洛紀巡録十七卷

謝一夔文集六卷

韓雍奏議一卷　文集十五卷

柯潛　竹巖集八卷

陸釴　春雨堂稿三十卷

葉盛奏草三十卷　文稿二卷　詩一卷

楊守陳全集三十卷

范理　丹臺稿十卷

林鶚文稿十卷

羅倫　一峯集十卷

莊昶　定山集十卷

黃仲昭　未軒集十三卷

陳獻章　白沙子八卷　文集二十二卷　遺編六卷

楊起元文編六卷

張弼文集五卷　詩四卷

胡居仁　敬齋集三卷

陳真晟　布衣存稿九卷

夏寅文集四十卷　備遺録二十三卷

張寧文集三十二卷

夏時正　留餘稿三十五卷

陸容　式齋集三十八卷

龍瑄　鴻泥集二十卷

周瑛　翠渠摘稿七卷

段正　介菴集三十卷

蔣琬文集十卷

朱翰　石田稿十四卷

張胄　西溪集十五卷

丁元吉文集六十四卷

劉敔　鳳巢稿六卷

桑悦　兩都賦二卷　古賦三卷　文集十六卷

祁順　巽川集二十卷

徐溥文集七卷

邱濬　瓊臺類稿五十二卷　詩十二卷

李東陽　懷麓堂前後集九十卷　續稿二十卷

謝遷　歸田稿十卷

陸簡　龍皋稿十九卷

程敏政　篁墩全集一百二十卷

吳寬　匏菴集七十八卷

張元禎文集二十四卷

王恕奏稿十五卷　文集九卷

韓雍奏議一卷

倪岳　青溪漫稿二十四卷

馬文升奏議十六卷　文集一卷

王俴　思軒集十二卷

楊守阯　碧川文鈔二十九卷　詩二十卷

張昇文集二十二卷

童軒　枕肱集二十卷

杭淮　雙溪詩集八卷

黎淳　龍峯集十三卷

劉大夏奏議一卷　詩二卷

張悅集五卷

何喬新文集三十二卷

彭韶奏議五卷　文集十二卷

王珣奏稿十卷　詩二卷

閔珪文集十卷

徐貫　餘力集十二卷

董越文集四十二卷

謝鐸奏議四卷　文稿四十五卷　詩三十六卷

陳音　愧齋集十二卷

張詡　東所集十卷

鄒智　立齋遺文四卷

李承箕　大崖集二十卷

錢福文集六卷

楊循吉遺集五卷

邵珪　半江集六卷

趙寬　半江集六卷

杭濟詩集六卷

吳元應詩集十五卷

顧潛　靜觀堂集十四卷

文林　溫州集十二卷

呂㦂　九柏集六卷

沈周　石田詩鈔十卷

史鑑　西村集八卷

祝允明　祝氏集略三十卷　懷星堂集三十卷　小集七卷

唐寅集四卷

顧盤①　海涯集十卷

王鏊文集三十卷

楊廷和奏議一卷　石齋集八卷

梁儲　鬱洲集九卷

費宏文集二十四卷

靳貴　戒菴集二十卷

楊一清奏議三十卷　石淙類稿四十五卷　詩二十卷

蔣冕　湘臯集三十三卷

毛紀　鼇峯類稿二十六卷

韓文　質菴集四卷

吳文度　交石集十卷

林瀚集二十五卷

屠勳　東湖稿十二卷

羅玘奏議一卷　文集十八卷　續集十四卷

儲瓘文集十五卷

王鴻儒　凝齋集九卷

邵寶　容春堂全集六十一卷

章懋文集九卷

楊廉奏議四卷　文集六十二卷

喬宇　白巖集二十卷

---

①　"盤"，據《明史稿》卷九十六《藝文志》、《千頃堂書目》卷二十一、稽璜《續文獻通考》卷一九二、《四庫全書總目》卷一七六當作"磐"。

黃瓚文集十二卷

蔡清　虛齋文集五卷

魯鐸文集十卷

王雲鳳　虎谷集二十一卷

毛澄類稿十八卷

王瓊奏議四卷

彭澤　幸菴行稿十二卷

林俊文集四十卷　詩十四卷

李夢陽　空同全集六十六卷

康海　對山集十九卷　樂府二卷

王九思　渼陂集十九卷　樂府四卷

何景明　大復集六十四卷

鄭善夫奏議一卷　少谷全集二十五卷

徐禎卿　迪功集十一卷

朱應登　凌溪集十九卷

王廷陳　夢澤集三十八卷

景暘　前谿集十四卷

陳沂文集十二卷　詩五卷

田汝耔奏議五卷　水南集十八卷

倫文叙　迂岡集十卷　白沙集十二卷

顏木　爐餘稿四卷

盧雍　古園集十二卷

陳霆　水南集十七卷

王守仁　陽明全書三十八卷

陸完　水村集二十卷

唐錦　龍江集十四卷

穆孔暉文集三卷

史學　埭谿集二十卷

許莊　康衢集一百卷

汪循　仁峯文集二十五卷

錢仁夫　水部詩曆十二卷

徐璉　玉峯集十五卷　五言詩五卷

黃省曾　五岳山人集三十八卷

孫一元　太白山人稿五卷

謝承舉　一名瓚。　詩集十五卷

王寵　雅宜山人集十卷

傅汝舟　丁戊集十二卷

高瀫　石門集二卷

蕭雍　酌齋遺稿四卷　已上成化、弘治，正德時。

廖道南文集五十卷　詩六卷

羅欽順　整菴稿三十三卷

何孟春疏議十卷　文集十八卷

顧清文集四十二卷

劉瑞　五清集十八卷

呂柟　涇野集五十卷

何瑭文集十一卷

魏校　莊渠文錄十六卷　詩四卷

陳察　虞山集十三卷

楊慎文集八十一卷　南中集七卷　詩五卷　詞四卷

胡世寧奏議十卷

鄭岳　山齋稿二十四卷

陳洪謨文稿二卷

王時中奏議十卷

董玘文集六卷

秦金詩集十卷

潘希曾奏議四卷　竹澗集八卷

劉龍文集四十八卷

劉夔奏議十卷

陸深全集一百卷　續集十卷

張邦奇全集五十卷

馬中錫奏疏三卷　東田集六卷

劉玉　執齋集二十卷

周倫　貞翁稿十二卷

劉節　梅國集四十二卷

章拯文集八卷

邊貢　華泉集四卷　詩八卷

王廷相奏議十卷　家藏集五十四卷

顧璘　息園文稿九卷　詩十四卷

劉麟文集十二卷

崔銑　洹詞十二卷

王爌　南渠稿十六卷

陳鳳梧奏議十卷　修辭録六卷

張翀文集二十卷

夏良勝　東洲稿十二卷　詩八卷

姚鏌文集八卷

王道文集十二卷

徐問文集二十四卷

萬鏜　治齋文集四卷

湛若水　甘泉前後集一百卷

韓邦奇　苑洛集二十二卷

劉訒　春岡集六卷

黃衷　矩齋集二十卷

顧應祥文集十四卷　樂府一卷

樂護　木亭稿三十六卷

石珤　熊峯集四卷

賈詠　南陽集十卷

崔桐　東洲集四十卷

毛伯溫奏議二十卷　東塘集十卷

王以旂奏議十卷　石岡集四卷

林廷㭿集十卷

孫承恩集三卷

黃佐　兩都賦二卷　泰泉集六十卷

童承叙　内方集十卷

貢汝成　三大禮賦一卷　嘉靖中獻。

林大輅　槐瘤集十六卷

許宗魯全集五十二卷

胡纘宗　鳥鼠山人集十八卷　擬古樂府四卷　詩七卷

方鵬文集十八卷　詩八卷

王同祖　太史集六十卷

鄒守益　東郭集十二卷　遺稿十三卷

顧鼎臣文集二十四卷

張璧　陽峯集二十六卷

張治文集十四卷

許讚　松皋集二十六卷

王崇慶　端溪集八卷

王邦瑞文集二十卷

聶豹　雙江集十八卷

薛蕙　考功集十卷

汪必東　南儶集二十卷

孫存　豐山集四十卷

蕭鳴鳳文集十五卷

周佐　北澗集十卷

金賁亨文集四卷

蔣山卿　南泠集十二卷

李濂　嵩渚集一百卷

林士元文集十卷

林春澤　人瑞翁集十二卷

汪應軫文集十四卷

陳琛文集十二卷

王漸逵　青蘿集十六卷

戴鱀文集八卷

廖世昭　明一統賦三卷

許相卿全集二十六卷

陸鈇　少石子集十三卷

邵經邦　弘藝録三十二卷

陳講　中川集十三卷

邱養浩　集齋類稿十八卷

王用賓文集十六卷

倫以訓　白山集十卷

倫以諒　石溪集十卷

倫以詵　穗石集十卷

顧璘　寒松齋稿四卷

黃綰　石龍集二十八卷

費寀集四卷

席書　元山文選五卷

方獻夫　西樵稿五卷

霍韜集十五卷

舒芬　內外集十八卷

汪佃　東麓稿十卷

戴冠　邃谷集十二卷　詩二卷

唐龍　漁石集四卷

歐陽鐸集二十二卷

夏言　桂洲集二十卷

嚴嵩　鈐山堂集二十六卷

張孚敬詩集三卷

歐陽德南野集三十卷

許誥奏議二卷

許論　默齋集四卷

張時徹　芝園全集八十五卷

呂禎　澗松稿四卷

鄭曉奏疏十四卷　文集十二卷

潘恩　笠江集二十四卷

陳儒　芹山集四十卷

王艮　心齋文集二十卷

王畿　龍谿文集二十卷

錢德洪　緒山集二十四卷

孫宜　洞庭山人集五十三卷

高叔嗣　蘇門集八卷

呂本　期齋集十六卷

徐階　世經堂全集五十卷

鄒守愚　俟知堂集十三卷

胡松奏疏五卷　文集十卷

袁煒詩集八卷

嚴訥表奏二卷　文集十二卷

李春芳　詒安堂稿十卷

郭朴文集五卷

林庭機文集十二卷

茅瓚文集十五卷

董份　泌園全集三十七卷

孫陞文集二十卷

李璣　西野集十三卷

尹臺　洞麓堂集三十八卷

范欽　天一閣集十九卷

陳堯　梧岡文集五卷　詩三卷

雷禮　鐔墟堂稿二十卷

蔡汝楠　自知堂集二十四卷

張岳　淨峯稿四十六卷

蘇濂　伯子集十三卷

蘇澹　仲子集七卷

陸埰文集十二卷

謝東山文集四十卷

李舜臣　愚谷集十卷

龔用卿　雲岡集二十卷

王維楨全集四十二卷

王材文集六十五卷

呂懷類稿三十三卷

趙時春　浚谷集十七卷

王慎中　遵巖文集四十一卷

唐順之　荆川集二十六卷

陳束文集二卷

熊過　南沙集八卷

任瀚逸稿六卷

呂高　江峯稿十二卷

李默　羣玉樓稿七卷

馮恩奏疏一卷　剡蕘録四卷

馬一龍　游藝集十九卷

陸粲　貞山集十二卷

康太和　蠣峯集二十四卷

余光　兩京賦二卷

楊爵　斛山稿六卷

馮汝弼　祐山集十六卷

包節　侍御集六卷

錢薇　海石集二十八卷

周怡　訥溪集二十七卷

羅洪先全集二十五卷

唐樞　木鐘臺集三十二卷

林春　東城集二卷

柯維騏　藝餘集十四卷

盧襄　五隖草堂集十卷

薛甲　藝文類稿十四卷

薛應旂　方山集六十八卷

唐音文集二十卷

劉繪奏議二卷　嵩陽集十五卷

喬世寧　丘隅集十九卷

孔汝錫文集十六卷　詩十四卷

袁袠　胥臺集二十卷

袁尊尼　魯望集十二卷

文徵明　甫田集三十五卷

文彭　博士集三卷

文嘉　和州集一卷

蔡羽　林屋集二十卷　南館集十三卷

陳淳　白陽詩集八卷

湯珍　小隱堂詩集八卷

彭年　隆池山樵集三卷

田汝成　叔禾集十二卷

屠應埈　蘭暉堂集八卷

范言　菁陽集五卷

楊本仁　少室山人集二十四卷

沈愷　環溪集二十六卷

李開先　中麓集十二卷

皇甫沖　子浚集六十卷

皇甫涍　少玄三十六卷

皇甫汸　司勳集六十卷

皇甫濂　水部集二十卷

周詩　虛巖山人集六卷

黃姬水　淳父集二十四卷

駱文盛存稿十五卷

崔廷槐　樓溪集三十六卷

栗應宏　太行集十六卷　詩六卷

莫如忠　崇蘭館集二十卷

陳昌積文集三十四卷

何良俊　柘湖集二十八卷

何良傅　禮部集十卷

許穀　省中　二臺　武林　歸田四稿共十七卷

華鑰　水西居士集十二卷

張之象　剪綃集二卷

徐獻忠　長谷集十五卷

鄔紳　中憲集六卷

陳暹文集四卷

瞿景淳　內制集一卷　文集十六卷

王問　仲山詩選八卷

侯一元　少谷集十六卷

俞憲詩集二十四卷

南逢吉　姜泉集十四卷

錢芹　永州集五卷

姚淶文集八卷

華察　巖居稿八卷

沈束①　屏南集十卷

茅坤文集三十六卷

吳維嶽　天目山齋稿二十八卷

李嵩　存笥稿十卷

馮惟健　陂門集八卷

馮惟訥　光祿集十卷

桑介　白厓詩選十卷

李應元　蔡蒙山房稿四卷

陳鳳　清華堂稿六卷

吳琯　環山樓集六卷

① “束”，據《明史稿》卷九十六《藝文志》、《國史經籍志》卷五、《千頃堂書目》卷二十三當作“束”。

沈鍊　鳴劍集十二卷　青霞山人集五卷

金大車　子有集二卷

金大輿　子坤集二卷

楊繼盛　忠愍集四卷

呂時中　潭西文集十七卷

林懋和　雙臺詩選九卷

王交　綠槐堂稿二十二卷

向洪邁詩文集十卷

盧岐嶷　吹劍集三十五卷

周思兼文集八卷

詹萊　招搖池館集三十卷

謝江　岷陽集八卷

傅夏器　錦泉集六卷

朱曰藩　山帶閣集三十三卷

岳岱　山居稿三十卷

高岱　西曹集九卷

陸楫　兼葭堂集七卷

李先芳　東岱山房稿三十卷

陳宗虞　臥雲樓稿十四卷

黃伯善文稿六卷　詩十五卷

胡瀚　今山文集一百卷

蔡宗堯　龜陵集二十卷

孫樓　百川集十二卷

張世美　西谷集十六卷

邵圭潔　北虞集六卷

李攀龍　滄溟集三十二卷　白雪樓詩集十卷

王世貞　弇州四部稿一百七十四卷　四部者，一賦、二詩、三文、四説，以

擬域中之四部州。汪道昆序之。　**續稿二百十八卷**

王世懋　奉常集五十四卷　詩十五卷

梁有譽　比部集八卷

徐中行　天目山人集二十一卷　詩六卷

宗臣詩文集十五卷

吳國倫　甔甀洞稿五十四卷　續稿二十七卷　詩十五卷

謝榛　四溟山人集二十卷　詩四卷

盧柟賦五卷　蠛蠓集五卷

劉鳳文集三十二卷

陸弼詩集二十六卷

汪道昆　太函集一百二十卷　南溟副墨二十四卷

許邦才　梁園集四卷

魏學禮集二十四卷

魏裳　雲山堂集六卷

張佳胤奏議七卷　崌崍文集六十五卷

張九一　綠波樓集十卷

黎民表文集十六卷

歐大任　虞部集二十二卷

俞允文詩文集二十四卷

余曰德詩集十四卷

萬表　玩鹿亭稿八卷

高拱　獻忱集五卷　詩文集四十四卷

趙貞吉文集二十三卷　詩五卷

高儀奏議十卷

楊巍　夢山存稿四卷

殷士儋　金輿山房稿十四卷

諸大綬文集八卷

楊博　獻納稿十卷　奏議七十卷　詩文集十二卷

張瀚詩文集四十卷

董傳策奏議一卷　采薇集十四卷

馬森文集二十卷

洪朝選　靜菴稿十五卷

朱衡文集二十卷

陳紹儒　司空集二十卷

何維柏　天山堂集二十卷

周詩　與鹿集十二卷

郭汝霖　石泉山房集十二卷

王時槐存稿十四卷

曹大章　含齋稿二十卷

林大春　井丹集十五卷

王叔果　半山藏稿二十卷

王叔杲　玉介園稿二十卷

徐師曾　湖上集十四卷

張祥鳶　華陽洞稿二十二卷

陳善　黔南類稿八卷

穆文熙　逍遙園集十卷

胡直　衡廬稿三十卷

王格　少泉集十卷

姚汝循詩文集二十四卷

張元忭　不二齋稿十二卷

歸有光　震川集三十卷　外集十卷　錢謙益訂正。

劉效祖詩稿六卷

王叔承　吳越游七卷

沈明臣詩集四十二卷

陳鶴詩集二十一卷

馮遷　長鋏齋稿七卷

朱邦憲詩文集十五卷

徐渭詩文全集二十九卷

王寅詩文集八卷

郭造卿　海岳山房集二十卷

俞汝爲　缶音集四卷

謝汝韶　天池稿十六卷

謝肇淛文集二十八卷　詩三十卷

駱問禮　萬一樓集六十一卷　外集十卷

王可大　三山彙稿八卷

沈桐　觀頤集二十卷

王養端　遂昌三賦一卷

黃謙詩文稿十六卷

戴廷槐　錦雲集十六卷　已上嘉靖、隆慶時。

張居正　奏對稿十卷　詩文集四十七卷

張四維　條麓堂集三十四卷

馬自強文集二十卷

陸樹聲詩文集二十六卷

林燫文集十六卷　詩六卷

汪鏜　餘清堂定稿三十二卷

徐學謨文集四十三卷　詩二十二卷

潘季馴奏疏二十卷　文集五卷

吳桂芳奏議十六卷　文集十六卷

譚綸奏議十卷

俞大猷　正氣堂集十六卷

戚繼光　橫槊稿三卷

海瑞文集七卷

吳時來　悟齋稿十五卷

趙用賢奏議一卷　文集三十卷　詩六卷

吳中行　賜餘堂集十四卷

艾穆　熙亭集十卷

鄒元標奏疏五卷　文集七卷　續集十二卷

沈思孝　陸沈漫稿六卷

蔡文範文集十八卷

范槤明　蜀都賦一卷

王宗沐奏疏四卷　文集三十卷

王崇古奏議五卷　山堂彙稿十七卷

王士性　五岳遊草十二卷

陳士元　歸雲集七十五卷

鄧元錫　潛學稿十七卷

林偕春　雲山居士集八卷

申時行　綸扉奏草十卷　賜閒堂集四十卷

余有丁詩文集十五卷

許國文集六卷

王錫爵詩文集三十二卷

王家屏文集二十卷

趙志皋奏議十六卷　文集四卷　詩五卷

耿定向文集二十卷

姜寶文集三十八卷　詩十卷

孫應鼇　彙稿十六卷

魏學曾文集十卷

沈節甫文集十五卷

王樵　方麓居士集十四卷

宋儀望文集十二卷　詩十四卷

魏允貞文集四卷

魏允中文集八卷

顧憲成文集二十卷

孟化鯉文集八卷

葉春及　絧齋集六卷

王穉登詩集十二卷

盛時泰　城山堂集六十八卷

張鳳翼　處實堂前後集五十三卷

張獻翼　文起堂集十六卷

莫是龍　石秀齋集十卷

曹子念詩集十卷

顧大典　清音閣集十卷

鄔佐卿　芳潤齋集九卷

茅溱　四友齋集十卷

莫叔明詩三卷

田藝蘅詩文集二十卷

胡應麟　少室山房類稿一百二十卷

陳文燭文集十四卷　詩十二卷

李維楨　大泌山房全集一百三十四卷

屠隆　由拳集二十三卷　白榆集二十卷　栖真館集三十卷

屠本畯詩草六卷

馮時可　元成選集八十三卷

沈鯉　亦玉堂稿十八卷

于慎行文集四十二卷　詩二十卷

李廷機文集十八卷

曾同亨　泉湖山房稿三十卷

王圻　鴻洲類稿十卷

謝杰　天靈山人集二十卷

馮琦　宗伯集八十一卷

曾朝節　紫園草二十二卷

郭子章　粵草　蜀草　楚草　閩草　浙草　晉草　留草共五
十五卷

許孚遠　致和堂集八卷

田一儁　鍾台遺稿十二卷

林景暘　玉恩堂集十卷

鄧以讚　定宇集四卷

黃洪憲　碧山學士集二十一卷

王祖嫡文集三十七卷

劉日升　慎修堂集二十三卷

郭正域　黃離草十卷

唐文獻　占星堂集十六卷

鄒德溥全集五十卷

沈懋學　郊居稿六卷

馮夢禎　快雪堂集六十四卷

邢侗　來禽館集二十八卷

余寅　農丈人集二十卷　詩八卷

虞淳熙　德園全集六十卷

湯顯祖　玉茗堂文集十五卷　詩十六卷

謝廷諒　薄遊草二十四卷

謝廷讚　綠屋遊草十五卷

陳第　寄心集六卷

羅大紘文集十二卷

來知德　瞿塘日錄三十卷

徐既登　正學堂稿二十六卷

蘇濬　紫溪集三十四卷

羅汝芳　近溪集十二卷　詩二卷

潘士藻　闇然堂集六卷

焦竑　澹園集四十九卷　續集三十五卷

袁宗道　白蘇齋類稿二十四卷

袁宏道詩文集五十卷

袁中道　珂雪齋集二十四卷

陶望齡　歇菴集十六卷

瞿九思文集七十五卷

馮大受詩集十卷

何三畏　漱六齋集四十八卷

瞿汝稷　同鄉集十四卷

郝敬　小山草十卷

許樂善　適志齋稿十卷

王納諫　初日齋集七卷

姚舜牧文集十六卷

葉向高　綸扉奏草三十卷　文集二十卷　詩八卷

丁賓文集八卷

區大相詩集二十七卷

顧起元文集三十卷　詩二十卷

湯賓尹　睡菴初集六卷

王衡　緱山集二十七卷

公鼐　問次齋集三十卷

丘禾實文集八卷　詩四卷

南師仲　玄麓堂集五十卷

張以誠　酌春堂集十卷

何喬遠集八十卷

張燮　羣玉樓集八十四卷

張萱　西園全集三十卷

李光縉　景壁集十九卷

曹學佺　石倉詩文集一百卷

徐熥　幔亭集二十卷

徐𤊿　鼇峯集二十六卷

黃汝亨　寓林集三十二卷

趙宧光　寒山漫草八卷

俞安期　翏翏集二十八卷

歸子慕　陶菴集四卷

趙南星文集二十四卷

楊漣文集三卷

左光斗奏疏三卷　文集五卷

魏大中　藏密齋集二十五卷

魏學洢　茅簷集八卷

繆昌期　從野堂存稿八卷

李應昇　落落齋遺稿十卷

周宗建奏議四卷

黃尊素文集六卷

馮從吾疏草一卷　少墟文集二十二卷

孫慎行奏議二卷　玄晏齋集十卷

曹于汴　抑節堂集十四卷

陳于廷　定軒存稿三卷

張蕭　寶日堂集六卷

楊守勤　寧澹齋集十卷

婁堅　學古緒言二十六卷

唐時升　三易集二十卷

李流芳　檀園集十二卷

程嘉燧　松圓浪淘集十八卷

朱國祚　介石齋集二十卷

鍾惺　隱秀堂集八卷

譚元春　嶽歸堂集十卷

蔡復一　遯菴集十七卷

王思任文集三十卷

董其昌　容臺集十四卷　別集六卷

陳繼儒　晚香堂集三十卷

王廷宰　緯蕭齋集六卷

李日華　恬致堂集四十卷

方應祥　青來閣集三十五卷

姚希孟文集二十八卷

陳仁錫　無夢園集四十卷

蕭士瑋　春浮園集十卷

鄭懷魁　葵圃集三十卷

謝兆申詩文稿二十四卷

顧正誼　詩史十五卷

張采　知畏堂文存十一卷　詩存四卷

張溥　七錄齋集十二卷　詩三卷

唐汝詢　編篷集十卷

曾異撰　紡授堂集二十七卷

孫承宗奏議三十卷　文集十八卷

賀逢聖　文類五卷

蔣德璟　敬日草九卷

黃景昉　甌安館集三十卷

倪元璐奏牘三卷　　詩文集十七卷

李邦華奏議六卷　　文集八卷

王家彥奏議五卷　　文集五卷

凌義渠文集六卷

馬世奇文集六卷　　詩三卷

劉理順文集十二卷

金鉉文集六卷

鹿善繼文稿四卷

孫元化文集一百卷

熊人霖　華川集二十四卷

陳山毓　靖質居士集六卷

陳龍正　幾亭集六十四卷

陳際泰　太乙山房集十四卷

吳應箕文集二十八卷

呂維祺詩文集二十卷

徐石麒　可經堂集十二卷

黃道周　石齋集十二卷

張肯堂　莞爾集二十卷

袁繼咸　六柳堂集三卷

黃端伯　瑤光閣集八卷

金聲文集九卷

陳函輝　寒山集十卷

艾南英　天傭子集六卷

黎遂球文集二十一卷　　詩十卷

李日宣奏議十六卷　　敬修堂集三十卷

黃淳耀　陶菴集七卷

侯峒曾文集四十卷

侯岐曾文集三十卷　已上萬曆、天啓、崇禎時。

宗泐　全室外集十卷　西游集一卷　洪武中，宗泐爲右善世，奉使西域求遺經，往返道中之作。

來復　蒲菴集十卷

法住　幻住詩一卷

清濋　蘭江望雲集二卷

廷俊　泊川文集五卷

克新　雪廬稿一卷

守仁　夢觀集六卷

如蘭　支離集七卷

德祥　桐嶼詩一卷

子楩　水雲堂稿二卷

宗衍　碧山堂集三卷

妙聲　東臯録七卷

元極　圓菴集十卷

溥洽　雨軒外集八卷

善啓　江行倡和詩一卷

大同　竺菴集二卷

覺澄　雨華詩集二卷

明秀　雪江集三卷

普泰　野菴詩集三卷

宗林　香山夢寢集一卷

方澤　冬谿内外集八卷

真可　紫柏老人集十五卷

德清　憨山夢游集四十卷

弘恩　雪浪齋詩集二卷

寬悦　堯山藏草五卷

法杲　雪山詩集八卷

一元　山居百咏一卷

如愚　空華集二卷　飲河集二卷　四悉稿四卷

智舷　黃山老人詩六卷

慧秀　秀道人集十三卷

傳慧　浮幻齋詩三卷　流雲集二卷

圓復　三支集二卷　一葦集二卷

元賢　禪餘集四卷

張宇初　峴泉文集二十卷

鄧羽　觀物吟一卷

張友霖　鐵鑛集二卷

邵元節集四卷

汪麗陽　野懷散稿一卷

張蚩蚩　適適吟一卷

顏復膚　潛菴咏物詩六卷　已上方外。

安福郡主　桂華詩集一卷

周憲王宮人夏雲英　端清閣詩一卷

陳德懿詩四卷

楊夫人詞曲五卷

孟淑卿　荊山居士詩一卷

朱靜菴詩集十卷

鄒賽貞詩四卷

楊文儷詩一卷

金文貞　蘭莊詩一卷

馬閒卿　芷居集一卷

端淑卿　綠窗詩稿四卷

王鳳嫺　焚餘草五卷

張引元　張引慶　雙燕遺音一卷

董少玉詩一卷

周玉如　雲巢詩一卷

邢慈静　非非草一卷

沈天孫　留香草四卷

屠瑤瑟　留香草一卷

袁九淑　伽音集一卷

姚青蛾　玉鴛閣詩二卷

王虞鳳　罷繡吟一卷

劉苑華詩一卷

陸卿子　考槃集六卷　雲臥閣稿四卷　玄芝集四卷

徐媛　絡緯吟十二卷

沈紉蘭　效顰集一卷

項蘭貞　裁雲草一卷　月露吟一卷

薄少君　嫠泣集一卷

方孟式　紉蘭閣集八卷

方維儀　清芬閣集七卷

黄幼藻　柳絮編一卷

桑貞白　香匲稿二卷　已上閨秀。

　　右別集類，一千一百八十八部，一萬九千八百九十六卷。[①]

歷代名臣奏議三百五十卷　永樂中，黄淮等奉敕纂輯。

王恕　歷代諫議録一百卷

謝鐸　赤城論諫録十卷　鐸與黄孔昭同輯天台人文之有關治道者，宋十人，明

---

　　① 中華本校曰："本類録自《明史稿》志七七《藝文志》，增《譚綸奏議》一部十卷，但此總部數卷數照抄《明史稿》而未增，應增一部十卷。"

六人。

張瀚　明疏議輯略三十七卷

張國綱　明代名臣奏疏二十卷

張鹵　嘉隆疏鈔二十卷

吳亮　萬曆疏鈔五十卷

孫旬　明疏義七十卷

朱王弼①　明留臺奏議二十卷

慶靖王㭎　文章類選四十卷

鄭淵　續文類五十卷

鄭柏　續文章正宗四十卷

王稱　國朝文纂四十卷

趙友同　古文正原十五卷

吳訥　文章辨體五十卷　外集五卷

李伯璵　文翰類選大成一百六十二卷

張洪　古今箴銘集十四卷

程敏政　明文衡九十八卷

楊循吉　明文寶八十卷

姚福　明文苑通編十卷

賀泰　唐文鑑二十一卷

李夢陽　古文選增定二十二卷

劉節　廣文選八十二卷

李堂　正學類編十五卷

謝朝宣　古文會選三十卷

楊慎　古雋八卷

---

①　"王"，據《千頃堂書目》卷三十、稽璜《續文獻通考》卷一六二、《四庫全書總目》卷五六當作"吾"。

林希元　古文類鈔二十卷

唐順之　文編六十四卷　明文選二十卷

張時徹　明文範六十八卷

汪宗元　明文選二十卷

張士瀹　明文纂五十卷

慎蒙　明文則二十二卷

薛甲　大家文選二十二卷

王逢年　文統一百卷

茅坤　唐宋八大家文鈔一百四十四卷

徐師曾　文體明辨八十四卷　　正録六十卷,《附録》二十四卷。

褚鈇　滙古菁華二十四卷

姚翼　歷代文選五十卷

陳第　屈宋古音義三卷

郭棐　名公玉屑録二十卷

胡時化　名世文宗三十卷

查鐸　西漢菁華十四卷

申用懋　西漢文苑十二卷

湯紹祖　續文選二十七卷

孫鑛　今文選十二卷

馬繼銘　廣文選二十五卷

劉世教　賦紀一百卷

潘士達　古文世編一百卷

陳翼飛　文儷六十卷

何喬遠　明文徵七十四卷

汪瑗　楚辭集解十五卷

陳仁錫　古文奇賞二十二卷　續二十四卷　三續二十六卷
　四續五十三卷　明文奇賞四十卷

王志堅　古文瀾編二十卷　續編三十卷　四六法海十二卷

楊瞿崍　明文翼統四十卷

張燦　擬離騷二十卷

黃道周　續離騷二卷

胡震亨　續文選十四卷

方岳貢　古文國瑋集五十二卷

俞王言　辭賦標義十八卷

陳山毓　賦略五十卷

陳子龍　明代經世文編五百八卷

張溥　古文五刪五十二卷　漢魏百名家集①

陳經邦　明館課五十一卷

張陽　新安文粹十五卷

趙鶴　金華文統十三卷

阮元聲　金華文徵二十卷

張應麟　海虞文苑二十四卷

錢穀　續吳都文粹六百卷

董斯張　吳興藝文補七十卷

楊慎　尺牘清裁十一卷　古今翰苑瓊琚十二卷

王世貞　增集尺牘清裁二十八卷

梅鼎祚　書記洞詮一百二十卷

俞安期　啟雋類函一百卷

凌穉隆　名公翰藻五十二卷

宋公傳　元詩體要十四卷　南海鄧林序稱其嘗同修東觀書，蓋永樂初纂修《大典》者。

高棅　唐詩品彙九十卷　拾遺十卷　唐詩正聲二十二卷

---

①　據《千頃堂書目》卷三十，"百"字下當有"三"字。

周叙　唐詩類編十卷

蕭儼　明代風雅廣選三十七卷

楊慎　風雅逸編十卷　選詩外編九卷　五言律祖六卷　近體
　始音五卷　詩林振秀十一卷　明詩鈔七卷

何景明　校漢魏詩十四卷

黃佐　明音類選十八卷

徐泰　明代風雅四十卷

程敏政　詠史詩選十五卷

徐獻忠　六朝聲偶集七卷　百家唐詩一百卷

黃德水　初唐詩紀三十卷

李于鱗　古今詩刪三十四卷　唐詩選七卷

何喬新　唐律羣玉十六卷

鄒守愚　全唐詩選十八卷

謝東山　明近體詩鈔二十九卷

馮惟訥　詩紀一百五十六卷　風雅廣逸七卷

王宗聖　增補六朝詩彙一百十四卷

張之象　古詩類苑一百二十卷　唐詩類苑二百卷　唐雅二十
　六卷

卓明卿　唐詩類苑一百卷

潘是仁　宋元名家詩選一百卷

毛應宗　唐雅同聲五十卷

俞安期　詩雋類函一百五十卷

許學彞　詩源辨體十六卷

俞憲　盛明百家詩一百卷

盧純學　明詩正聲六十卷

符觀　唐詩正體七卷　宋詩正體四卷　元詩正體四卷　明詩
　正體五卷

鍾惺　古唐詩歸四十七卷

臧懋循　古詩所五十二卷　唐詩所四十七卷

李騰鵬　詩統四十二卷

張可仕　補訂明布衣詩一百卷

沈子來　唐詩三集合編七十八卷

陳子龍　明詩選十三卷

胡震亨　唐音統籤一千二十四卷　甲籤：帝王詩七卷；乙籤：初唐詩七十
九卷；丙籤：盛唐詩一百二十五卷；丁籤：中唐詩三百四十一卷；戊籤：晚唐詩二百
一卷，又餘閏六十四卷；已籤：五唐雜詩四十六卷；庚籤：僧詩三十八卷，道士詩六
卷，宮閨詩九卷，外國詩一卷；辛籤：樂章十卷，雜曲五卷，填詞十卷，歌一卷，謠一
卷，諧謔四卷，諺一卷，語一卷，酒令一卷，題語判語一卷，讖記一卷，占辭一卷，蒙求
一卷，章咒一卷，偈頌二十四卷；壬籤：仙詩三卷，神詩一卷，鬼詩二卷，夢詩一卷，物
怪詩一卷；癸籤：體凡發微、評彙、樂通、詁箋、談叢、集録，凡三十六卷。

曹學佺　石倉十二代詩選八百八十八卷　古詩十三卷，唐詩一百十卷，
宋詩一百七卷，元詩五十卷，明詩一集八十六卷，二集一百四十卷，三集一百卷，四集
一百三十二卷，五集五十卷，六集一百卷。

徐獻忠　樂府原十五卷

胡瀚　古樂府類編四卷

陳耀文　花草粹編十二卷

錢允治　國朝詩餘五卷

沈際飛　草堂詩餘十二卷

卓人月　古今詞統十六卷

毛晉　宋六十家詞六十卷

程明善　嘯餘譜十卷

黎淳　國朝試録六百四十卷　輯明成化已前試士之文。邱濬爲序。

汪克寬　春秋作義要訣一卷

楊慎　經義模範一卷

梁寅　策要六卷

劉定之　十科策略八卷

張和　篠菴論鈔一卷

黃佐　論原十卷　論式三卷

戴鱀　策學會元四十卷

唐順之　策海正傳十二卷

茅維　論衡六卷　表衡六卷　策衡二十二卷

陳禹謨　類字判草二卷

明狀元策十二卷　坊刻本。

四書程文二十九卷

五經程文三十二卷

論程文十卷

詔誥表程文五卷

策程文二十卷　已上五種,見葉盛《菉竹堂書目》,皆明初舉業程式。

　　右總集類,一百六十二部,九千八百一十卷。

詩學梯航一卷　宣德中,周叙等奉敕編。

寧獻王　臞仙文譜八卷　詩譜一卷　詩格一卷　西江詩法
　一卷

寧靖王奠培　詩評一卷

宋元禧　文章緒論一卷

唐之淳　文斷四卷

溫景明　藝學淵源四卷

閔文振　蘭莊文話一卷　詩話一卷

張大猷　文章源委一卷

汪弘誨①　文字談苑四卷

─────────

①　"汪",據《千頃堂書目》卷三十二、《國史經籍志》卷五當作"王"。

朱荃宰　文通二十卷

瞿佑　吟堂詩話三卷

懷悅　詩家一指一卷

葉盛　秋臺詩話一卷

游潛　夢蕉詩話二卷

李東陽　懷麓堂詩話一卷

徐禎卿　談藝錄一卷

都穆詩話二卷

强晟　汝南詩話四卷

沈麟　唐詩世紀五卷

楊慎　昇菴詩話四卷

程啟充　南谿詩話三卷

安磐　頤山詩話二卷

黃卿　編苕詩話八卷

宋孟清　詩學體要類編三卷

朱承爵詩話一卷

顧元慶　夷白齋詩話一卷

陳霆　渚山堂詩話三卷

皇甫循　解頤新語八卷

黃省曾　詩法八卷

梁格　冰川詩式四卷

邵經邦　律詩指南四卷

謝東山詩話四卷

王世懋　藝圃擷餘一卷

謝榛　詩家直說四卷

俞允文　名賢詩評二十卷

胡應麟　詩藪二十卷

凌雲　續全唐詩話十卷

郭子章　豫章詩話六卷　續十二卷

謝肇淛　小草齋詩話四卷

趙宧光　彈雅集十卷

曹學佺　蜀中詩話四卷

程元初　名賢詩指十五卷

王昌會　詩話彙編三十二卷

　　右文史類，四十八部，二百六十卷。

二十五史藝文經籍志考補萃編總目